新常态下的大旅游

（2015）

国家旅游局 编

中国旅游出版社

出版说明

党中央、国务院高度重视旅游业发展，习近平、李克强等党和国家领导人对旅游业发展作出了一系列重要指示。2015年1月12日，汪洋副总理主持召开国务院旅游工作部际联席会议，对全国旅游工作提出了明确要求。2015年1月15—16日，全国旅游工作会议在江西南昌召开，会议以“开辟新常态下中国旅游发展的新天地”为主题，明确提出今后三年，我国旅游业发展要实施“515战略”，即围绕“文明、有序、安全、便利、富民强国”5大目标，推出“旅游10大行动”，实施“52项举措”。本书收录了2015年全国旅游工作会议主报告、部分省区市领导发言、会议总结以及专家观点，以供大家更好地了解“515战略”，推进旅游业转型升级、提质增效，加快旅游业现代化、信息化、国际化进程，共同迎来“新常态下的大旅游”时代，为实现两个“一百年”的宏伟目标和中华民族伟大复兴的中国梦贡献中国旅游人的心血、智慧、汗水。

习近平主席指出：

旅游是传播文明、交流文化、增进友谊的桥梁，是人民生活水平提高的一个重要指标，出国旅游更为广大民众所向往。旅游业是综合性产业，是拉动经济发展的重要动力。旅游是修身养性之道，中华民族自古就把旅游和读书结合在一起，崇尚“读万卷书，行万里路”。旅游是增强人们亲近感的最好方式。

发展高水平旅游业，要抓硬件，更要抓软件，特别要提高服务质量，推进精细化管理，以优质服务赢得旅客的笑脸和称赞，赢得持久的人气和效益。

要教育我们的公民到海外旅游讲文明。矿泉水瓶子不要乱扔。

李克强总理指出：

2014年，全国旅游行业积极努力，各项工作取得了新的成绩，谨向旅游系统广大干部职工和从业人员表示诚挚问候。旅游业是国民经济和现代服务业的重要组成部分。希望同志们围绕发挥旅游在扩内需、稳增长、增就业、减贫困、惠民生中的独特作用，砥砺开拓，扎实工作，着力创新旅游管理体制，着力依法规范旅游市场，着力推进现代旅游产业发展，着力培育旅游经济增长点，让旅游更安全、更便利、更文明、更舒心，为推动经济提质增效升级、人民群众生活水平跃升做出新贡献。

目 录

CONTENTS

第一篇 2015年全国旅游工作会议工作报告

第二篇 部分省区市领导讲话

第三篇　2015 年全国旅游工作会议总结

第四篇　专家观点

第一篇
2015 年全国旅游工作会议工作报告

开辟新常态下中国旅游业发展的新天地

（2015 年 1 月 15 日）

国家旅游局局长　李金早

这次会议的主要任务是：认真贯彻党的十八大和十八届三中、四中全会和中央经济工作会议精神，总结 2014 年全国旅游业发展情况，分析旅游业发展面临的形势，部署下一阶段重点工作。

党中央、国务院高度重视旅游业发展。习近平总书记对旅游业发展做出了一系列重要指示。2015 年 1 月 8 日，李克强总理在国家旅游局工作报告上做出重要批示，这是对我们的鼓励、鞭策。1 月 12 日，汪洋副总理听取国家旅游局工作汇报后即在当天下午主持召开的国务院旅游工作部际联席会议上发表了重要讲话，随后又专门做出批示，对我们旅游战线给予了鼓励，提出了明确要求。我们一定要认真贯彻党中央、国务院领导同志的重要指示精神，扎扎实实做好工作。

现在，我代表国家旅游局讲三个方面的情况。

一、2014 年全国旅游工作和旅游业发展情况

2014 年，在党中央、国务院的正确领导下，在各级党委、政府的高度重视下，面对经济下行压力、经济结构深度调整的新形势，旅游全行业积极努力，旅游工作取得了阶段性成果。

（一）旅游发展环境不断改善

全国人大开展《旅游法》执法检查，推动了《旅游法》的贯彻落实。国务院出台《关于促进旅游业改革发展的若干意见》（国发〔2014〕31 号），提出了新时期旅游业改革发展的方向和任务。国务院成立旅游工作部际联席会议，创新了协调商议旅游业改革发展重大问题的机制。与中宣部、中央文明办共同开展提升中国公民出境旅游文明素质宣传活动，营造文明旅游社会氛围。各省区市深入贯彻落实国发〔2014〕31 号文件，强化了旅游统筹协调机制，海南、北京、云南、江西、广西、西藏六个省区市先后成立旅游发展委员会。海南、云南、上海等地修订了旅游条例。山东、浙江、甘肃、安徽等省先后出台贯彻落实国发

〔2014〕31号文件的政策文件。旅游综合改革深入推进，共有10个市县开展国家旅游综合改革试点。

（二）旅游品牌开发持续推进

落实中国“智慧旅游年”各项工作。实施美丽乡村富民工程，七部门联合发文在全国挑选出6130个重点扶持村开展乡村旅游扶贫，与扶贫办共同推进旅游扶贫试点工作。实施中国旅游商品品牌提升工程，举办“中国国际旅游商品博览会”和“中国旅游产业博览会”。完善旅游公共服务设施，投入4亿元旅游发展基金支持新建改建约40万个景区停车位，投入1.5亿元贷款贴息支持90多个旅游项目转型升级。与国家开发银行联合推出135个中国旅游投资优选项目，在全国投资增速放缓的情况下，实际完成旅游投资约7053亿元，同比增长32%。推动全国红色旅游二期规划落实，广泛开展红色旅游系列主题活动。全年乡村旅游新增收入400亿元，新增就业约20万人，带动超过3300万农民受益，新增国家生态旅游示范区36个，新增5A级旅游景区9家，目前全国5A级旅游景区总数达184家。

（三）旅游管理和服务继续加强

贯彻《旅游法》，开展治理旅游市场秩序自查自纠。探索依靠市场主体开展市场监督的有效方式，分区域、有针对性地开展治理旅游市场秩序行动。持续推进旅游标准化工作，发布10项旅游行业标准，启动第三批标准化试点。进一步简政放权，取消边境旅游项目许可，下放外资旅行社设立审批、旅行社经营边境游资格审批和4A级旅游景区评定。在全国开展“寻找最美导游”活动，加强行业精神文明建设。以导游援藏和旅游人才援藏、援疆为重点，开展西部旅游人才援助。完成旅游行政干部培训和旅游业青年专家遴选，推动旅游职业教育改革。全行业积极参加“党的群众路线教育实践活动”，深化各项整改措施，有力地推动了全行业的作风转变。

（四）旅游开放合作继续进行

举办第八届APEC旅游部长会议并发布《澳门宣言》。举办2014年中国国际旅游交易会和第14届世界旅游旅行大会。设立中国—中东欧旅游促进机构与旅游企业联合会协调中心。制订外国人入境旅游市场中长期发展规划。实施“美丽中国”全球统一品牌战略。推进大湄公河、大图们江次区域旅游合作。新增上海自贸区地中海邮轮旅行社作为试点经营出境游业务的外资社，广东省开放5家港澳独资旅行社经营内地居民赴境外团队旅游业务。开放太原等10个城市赴台个人游，增加第六批赴台游组团社。进一步简化赴台团队游手续，取消个人游城市赴台团队发票查验。大陆居民赴台旅游累计突破千万人次大关。以第十七届海峡两岸旅行业联谊会和第六届海峡两岸旅游交流圆桌会议为平台，深化两岸旅游合作，继续完善海旅会和台旅会磋商机制。到2014年年底，中国公民出境旅游目的地国家和地区达151个。

在旅游全行业的共同努力下，2014年旅游业实现平稳增长。预计国内旅游36亿人次，增长10%；入境旅游1.28亿人次，下降1%；出境旅游首次突破1亿人次大关，达到1.09亿人次。全年旅游总收入约3.25万亿元，增长11%。

2014年旅游业发展取得的成绩，是全国各地、业内业外在党中央、国务院正确领导下共同努力的结果，也是与境外同行有效合作的结果。邵琪伟同志认真贯彻落实中央部署，坚持改革开放，精心组织、努力推进，为旅游事业的发展做出了重要贡献。王志发同志求真务实、勇于克难攻坚，做了大量卓有成效的工作。

在肯定成绩的同时，我们也要清醒地认识到，旅游业发展仍然面临许多严峻挑战，存在许多亟待解决的问题。主要有：旅游市场秩序问题没有得到根本解决，有些地方旅游市场乱象丛生，甚至存在黑恶势力的影响，人民群众对此反映强烈。旅游不文明现象时有发生，严重损害了国家和民族的形象。旅游厕所还达不到游客的要求，与国际标准还有很大差距，脏、乱、差的现象仍然存在。旅游公共服务基础设施建设滞后。各级政府对旅游业的支持力度有待进一步加强，财政、金融促进旅游产业的抓手不多。旅游涉外纠纷日益增加，旅游外交在机遇千载难逢的大势下，挑战也在增多。我国拥有庞大的入出境旅游市场规模，但还没有相应的国际话语权。旅游管理体制不顺，“小马拉大车”的矛盾还比较突出。旅游部门和旅游社会管理信息化水平很低，远远不适应互联网时代的要求。旅游基础研究薄弱、旅游统计严重滞后、旅游人才支撑不足等问题也很突出。这都需要我们下大力气加以解决。

二、我国旅游业发展的新形势和新要求

2015年不同寻常，既是全面深化改革、“十二五”收官、谋划“十三五”发展的关键之年，也是全面建设小康社会、实现“两个一百年”目标的转承之年。“风物长宜放眼量。”我们要深刻认识经济发展新常态下的旅游业，就需要以更长的时间跨度去观察、分析和把握。

（一）过去35年回顾和未来35年展望

1.过去35年，我国旅游业从无到有、从小到大，实现了从短缺型旅游发展中国家向初步小康型旅游大国的历史性跨越

主要体现在以下五个方面：

——旅游已经从少数人的奢侈品发展为大众化的消费，成为人民群众日常生活的重要内容。国内旅游从1984年约2亿人次到2014年的36亿人次，增长了17倍。国民人均出游从1984年的0.2次到2014年的2.6次，增长了12倍。中国的旅游消费能力快速增长，已成为世界最大的国内旅游市场，中国游客的足迹遍布世界150多个国家和地区，已经成为世界重要的旅游客源

国。纵观世界旅游发展史，英国17世纪60年代上流社会开始泛欧旅行，19世纪40年代旅游业兴起，20世纪初才逐渐成为大众参与的活动，这一转变历时长达近250年。从1850年到1915年，旅游也只是美国中高阶层的活动；随着铁路运输的发展，短途旅行大量涌现，促进了旅行代理商、铁路旅客部门、旅行手册印刷商、旅行作家的大量出现，直至“二战”之后美国才开始有了真正意义上的大众旅游。这一过程经历了近1个世纪。与之相比较，我们35年走过的历程，英国用了近250年，美国用了近1个世纪。我们在如此短的时间内，让如此大规模的人分享旅游生活，可谓举世罕见。当然，这也是由于不同的历史发展阶段所决定的。

——旅游业已经从外事接待型的事业，发展成为全民参与就业创业的民生产业。旅游就业容量大、带动能力强、层次丰富、类型多样、方式灵活、前景广阔。旅游既有大量低门槛的就业，适合农民、妇女、农民工、下岗职工、毕业生、低收入人群就业，又有大量的创业机会，适合不同类型的高层次人才创业，也适合大学生和返乡农民工创业。旅游业由原来漂亮姑娘、帅小伙集中的窗口行业，发展成为就业创业增长最快、参与度最广的产业之一。据测算，1978年，旅游直接就业人数为45万，2013年为2278万，35年翻了近5.7番。2013年，旅游直接和间接就业总人数为6441万人，占全国就业总数的8.4%。2014年乡村旅游新增收入400亿元，新增就业约20万人，带动超过3300万农民受益。

——旅游业已发展成为综合性的现代产业，对相关产业贡献大幅提升。旅游业的关联行业超过110个，是一个多方位、多层面、多维度的大产业。旅游业对国民经济社会发展的贡献不断凸显，根据世界旅行旅游理事会（WTTC）发布的数据，2013年世界旅游业占GDP的比重已经达到9.5%，对就业的贡献率超过10%。我国旅游业对国民经济社会发展的贡献，至少不会低于世界平均水平。旅游业对相关产业贡献不断凸显，对住宿业的贡献率超过90%，对民航和铁路客运业的贡献率超过80%，对文化娱乐业的贡献率超过50%，对餐饮业和商业的贡献率超过40%。旅游业与相关产业的融合不断深化，旅游新产品、新业态层出不穷，旅游企业类型不断拓展，旅游服务模式进一步优化，已经形成综合性、集群化的产业体系。

——国际旅游已从入境游为主，发展到入出境旅游并重、深度国际化大交流、旅游外交功能凸显的新阶段。改革开放之初，我国以接待入境旅游者为主，不存在有规模的出境旅游。经过35年的快速发展，我国形成了国内旅游、入境旅游、出境旅游三大市场三足鼎立的格局。入境旅游从1978年的180.92万人次增加到2014年的1.28亿人次，增长了69.7倍，年均增长12.6%；国际旅游收入从2.63亿美元增加到565亿美元，增长了213.8倍，年均增幅达到16.1%。2014年我国内地公民出境旅游首次突破1亿人次，达到1.09亿人次，是1998年的12.94倍。中国公民与世界各国人民的旅游交流交往更加频繁，旅游外交影响更加多元和广泛。如果说加入世界贸易组织（WTO）主要是法律和经济规则的国际对接，那么，出境旅游则既是法律和经济规则的国际对接，也是深层次国际人文交流，影响将更加深远。

——旅游业发展由点到面、由局部到整体，形成了各地各部门共同推进的大格局。旅游业发展初期，主要集中在北京、上海、广州、杭州、苏州、桂林、西安等传统热点旅游城市，再由这些旅游城市串联起精品旅游线路。随着大众化旅游的崛起，旅游业发展受到各地各部门的高度重视，如今形成了共同推进旅游大发展的格局。几乎所有的省区市都将旅游业列入战略性支柱产业，85% 以上的城市、80% 以上的区县将旅游业定位为支柱产业。

2.未来35年，旅游业将由大到强、由快到好，实现从初步小康型旅游大国到全面小康型旅游大国、再到初步富裕型旅游强国的新跨越

党的十八大提出了"两个一百年"的奋斗目标：即到中国共产党建党 100 年（2021 年），全面建成小康社会；到新中国成立 100 年（2049 年），建成富强、民主、文明、和谐的社会主义现代化国家，实现中华民族伟大复兴。到 2020 年实现"两个翻一番"，即国内生产总值、城乡居民人均收入，在 2010 年的基础上翻一番。据测算，到 2020 年我国人均 GDP 将达到 1.2 万 ~ 1.5 万美元，城镇化率达到 60%，中等收入人群将达到 6 亿 ~ 8 亿人，服务业产值达到 48 万 ~ 53 万亿元，居民消费总额近 50 万亿元，跨入中等收入国家行列。中国将从以解决温饱为主的生存型阶段进入到以促进人的全面发展为重要目标的发展型新阶段，消费需求结构将从生存型消费向发展型消费升级，从物质消费向服务消费升级，旅游将因此成为经济新常态的亮点和发展方向。到新中国成立100年，我国人均GDP可望达到2.5万美元，城镇化率将超过80%，进入发达国家行列，旅游休闲度假消费将普遍化、日常化。

依托国家整体的发展，未来中国旅游业发展的目标为：

到2020年，从初步小康型旅游大国迈向全面小康型旅游大国，年人均出游次数达到5次以上，达到中等发达国家水平，我国旅游业在规模、质量、效益上均达到世界旅游大国水平。

到2050年，我国成为初步富裕型国家，实现从全面小康型旅游大国到初步富裕型旅游强国的新跨越，年人均出游达10次以上，我国旅游发展质量、水平、效益、综合竞争力、旅游文明程度等达到世界发达国家前列，全面实现旅游现代化、信息化、国际化。

（二）旅游业正在成为经济发展新常态下的新增长点

旅游业对我国经济社会发展全局具有重要战略意义。习近平总书记强调：“旅游是传播文明、交流文化、增进友谊的桥梁，是人民生活水平提高的一个重要指标。旅游业是综合性产业，是拉动经济发展的重要动力。旅游是修身养性之道，中华民族自古崇尚‘读万卷书，行万里路’。”李克强总理要求我们“围绕发挥旅游在扩内需、稳增长、增就业、减贫困、惠民生中的独特作用，砥砺开拓，扎实工作，着力创新旅游管理体制，着力依法规范旅游市场，着力推进现代旅游产业发展，着力培育旅游经济增长点，让旅游更安全、更便利、更文明、更舒心，为推动经济提质增效升级、人民群众生活水平跃升作出新贡献。”汪洋副总理指出，“旅游业‘量’的扩张和‘质’的提升，将带动一大批相关产业发展。在新常态下，旅游业是稳增长的重要引擎、是调结构的重要突破口、是惠民生的重要抓手、是生态文明建设的重要支撑、是繁荣文化的重要载体、是对外交往的重要桥梁，在国民经济和社会发展中的重要战略地位更加凸显。”

经济发展新常态以提质增效为基本特征，调速不减势，量增质更优。实现速度、质量与效益全面协调，必须把存量调整与增量做优结合起来，让经济发展动力从依靠传统增长点转向新的增长点。发现和培育新增长点，将是新常态下实现经济社会发展的关键所在。旅游业正在成为新常态下新的增长点，与传统增长点及其他新增长点相比，旅游业这个新增长点究竟新在哪里，概括起来主要有 9 个“新”。

1.旅游业是资源消耗低、环境友好型、生态共享型的新增长点

我国环境承载力已接近上限，能源压力巨大，因而必须推动形成绿色低碳循环发展新方式。旅游业是举世公认的无烟产业，是建设生态文明最有优势、最富潜力的美丽产业。旅游业资源消耗少、能耗低。根据国家信息中心课题组初步测算，旅游业万元产值能耗约为全国单位 GDP 能耗的 1/6 和单位工业增加值能耗的 1/11，是汽车业万元产值能耗的 1/7、房地产业的 1/5、家电业的

1/7。随着旅游者文明水平的提升及旅游方式的不断改进，旅游业万元产值能耗将不断降低。

2.旅游业是消费层次多、消费潜力大、持续能力强的新增长点

旅游消费是最终消费、多层次多样化消费和可持续消费，具有很强的融合能力和巨大的增长潜力，是新常态下扩大消费的重要动力源，已成为居民的普遍消费和推动消费升级的主渠道之一。房地产、汽车、家电等传统消费热点已接近上限，正在或即将碰到“天花板”，增长速度呈下降趋势。旅游消费却不同，经济社会越发展，旅游需求就越大，可以无限拓展，是消费“永动机”。同时，旅游消费还是一个放松身心、康复身体、娱悦精神、提升国民健康水平和文明素质的消费，而且是信息消费、养老消费、健康消费等新消费热点的实现途径和“催化剂”。发达国家居民一般每年出游 8 次以上，而目前中国居民人均每年出游才 2.6 次，我国居民旅游消费潜力才刚刚开始释放。旅游消费既具有个性化、多样化的特点，也具有传统消费热点的大规模、从众式，有时甚至是“井喷式”的特征。根据国际规律，当人均 GDP 达到 2000 美元时，旅游将获得快速发展；当人均 GDP 达到 3000 美元时，旅游需求出现爆发性增长；当人均 GDP 达到 5000 美元时，步入成熟的度假旅游经济，休闲需求和消费能力日益增强并出现多元化趋势。2013 年我国人均 GDP 已突破 5000 美元大关，北京、上海、广东等省市人均 GDP 已经超过 1 万美元。如果说前 35 年是旅游发展的

"黄金期"，随着我国经济社会的不断发展，那么未来 35 年将更是旅游发展的"钻石期"。

3.旅游业是兼具消费、投资、出口"三驾马车"功能的新增长点

旅游业对经济增长的贡献，不仅仅体现在消费拉动上，而且也体现在投资、出口拉动上，是一个多功能融合的新增长点。关于这一点，将在后面厘清认识中详述。

4.旅游业是就业容量大、层次多样、类型丰富、方式灵活、前景广阔的新增长点

工业战略性新兴产业和高科技产业发展前景广阔，但就业需求总量相对较少，就业门槛相对较高。旅游就业容量大、增长快、带动性强，就业层次丰富、类型多、方式灵活，是适宜社会广泛创业的新领域，也是人力资源开发的新领域、新途径。2013 年，旅游业直接间接就业总人数为 6441 万人，占全国就业总人数的 8.4%。旅游业在消化农村剩余劳动力方面有突出优势，是扶贫方式最灵活、成本最低、返贫率最低、受益面最宽、拉动性最强、扶贫效果最好的行业。旅游业在促进大学生、农民工、妇女就业创业方面具有特殊优势，适合激发全社会创业创新热情。

5.旅游业是促进开放、推进国际化发展的新增长点

2 亿多人次的入出境旅游，带动巨大的国际经济交流。入境旅游是重要的服务贸易，直接带动出口，可以说是“发生在国内的出口”，或者说是“不用走出国门的出口”。出境旅游则有利于带动投资、货物、服务“走出去”，带动旅游企业“走出去”，带动就业“走出去”。边境旅游方兴未艾、前景广阔。国家正在大力推进“一带一路”、沿边开放、自贸区建设等战略，构建更加主动、更具引领性的开放型经济新体制，旅游业在其中可以大有作为。

6.旅游业是增强国民幸福感、提升国民健康水平、促进社会和谐的新增长点

通过旅游触摸文化脉搏、感知文化神韵、汲取文化营养，获得与众不同的审美情趣，对于促进人们身心健康、推动人的全面发展具有重要意义。旅游是新时期人们物质和精神文化需求的重要内容，旅游业是幸福导向、健康导向、快乐导向的产业，是增强国民幸福感、提升健康水平的产业，是人们生活水平和生活质量提高的重要标志，是老百姓实实在在分享改革发展成果的鲜活体现。旅游还可以使不同地区、不同民族、不同文化、不同生活方式的人们加深彼此了解，增加相互友谊、增强社会包容与和谐。

7.旅游业是优化区域布局、统筹城乡发展、促进新型城镇化建设的新增长点

旅游业是促进区域发展的重要产业，有利于发挥区域特色优势、促进区域交流，对打破区域分割、加强区域协调协同发展具有积极作用。“互联互通，旅游先通”，正在成为区域或次区域一体化的普遍规律。

旅游业是统筹城乡发展的优势产业，为城乡间人流、物流、信息流、资金流构建了渠道、提供了载体，推动以工补农、以城带乡、城乡旅游优势互补的良性互动。发展乡村旅游，能使农村就地现代化、就地城镇化，同时又能使城镇居民看得见山、望得见水、记得住乡愁。

旅游业是推进新型城镇化建设的引领产业，有利于整合城镇各种资源，激活城镇文化，彰显城镇个性，提升城镇服务功能。

8.旅游业是促进脱贫致富、实现共同小康的新增长点

旅游业综合拉动性强、扶助功能大、受益面宽，是最好的扶贫和富民产业。很多贫困村通过发展旅游业发生了翻天覆地的变化。重庆武隆就是一个旅游脱贫致富的典型。武隆县旅游资源丰富独特，拥有世界自然遗产保护地和国家 5A 级旅游景区两块金字招牌。近年来，随着旅游业的强势崛起，成功探索出“旅游发展促进脱贫致富，扶贫开发助推旅游发展”的扶贫工作典型模式。2013 年，全年接待游客 1750 万人次，增长 8.7%，旅游总收入 76.5 亿元；《印象 · 武隆》演出 275 场，收入 4500 万元。在旅游业的强势推动下，共培育农家乐、游客接待专业户近 2000 家，培育旅游商品生产企业 12 个，开发旅游特色产品 15 个，建成旅游商品门店 297 家，带动贫困人口 2.5 万人，增收 8 亿元。同时，农民人均纯收入 7633 元，增长 14%，增速居重庆市第 1 位。目前，全县贫困村由 84 个减少到 36 个，贫困人口由 12.5 万人减少到5万人。

旅游业对促进致富也有突出优势。江苏省江阴市华西村是我国富裕乡村的典型，被誉为“天下第一村”。作为中国新农村典范的华西村寓教于游，开发了农业、工业、教育等多种特色游。华西村共同富裕的先进典型和江南田园风光吸引了160个国家和地区的宾客前来旅游，年接待游客300万人次以上，旅游业已成为华西村三大支柱产业之一。旅游业不仅给华西村带来了人流和财富，也带来了信息流与新的发展机遇，成为华西村发展的新动力和新方向。

9.旅游业高水平发展，催生新的经济社会组织，是提高社会资源配置效率的新增长点

旅游业以游客消费为主线，串联起各种消费、各种要素、各种产业、各种服务，形成各类旅游相关产业群，是对社会各种资源要素整合利用、提高综合效率的新型经济形态。旅游业在经济发展中的作用是对需求的拓展和组织，是以市场为中介，对旅游需求和供给要素进行再组织的过程，是经济发展的“催化剂”、社会协调的“润滑剂”、转变发展方式的“加速器”。现代旅游业已经成为全要素融合，全产业链整合，跨越一、二、三产业的现代产业集群和经济社会组织方式。旅游通过产业融合，形成资源共享，实现协同发展，创造新增价值。云南省正在建设的“花之城”和“古滇王国”等项目，就是在此方面的有益探索。这两个项目已经走出旅游发展初级阶段的产业功能分割、服务单一、单打独拼的小农经济模式，他们正在探索的是旅游产业的一种新的经济社会组织方式，前景可期！

中央和地方各级政府及社会对旅游地位和功能的认识不断深化。20 世纪 80 年代，旅游业被作为重要的创汇行业；20 世纪 90 年代，国家提出把旅游业培育成为新的经济增长点，旅游业成为扩大内需的重要手段；进入新世纪，旅游业被定位为国民经济重要产业。2009 年，旅游业被定位为“国民经济的战略性支柱产业和人民群众更加满意的现代服务业”。我们要在此基础上，不断总结，与时俱进，深化对新常态下旅游业地位和功能的认识。

（三）需要厘清的一些观点和说法

观念决定行为、思路决定出路。开辟旅游新天地，首先要对旅游有新认识。要用新的思维方式，谋求新的发展方式，贡献新的生活方式。旅游业是新兴产业，实践发展很快但理论研究严重滞后，因此存在许多似是而非的观点和说法。厘清这些认识，对于我们准确把握新阶段、新常态下的旅游发展至关重要。下面，我讲讲几个很流行的观点和说法。

1.旅游究竟是软实力还是硬实力

一个国家和地区的综合国力，通常分为有形力量与无形力量，或硬实力与软实力。硬实力通常指看得见、摸得着的物质力量；软实力是指看不见的文化精神等无形因素。硬实力是有形载体，软实力是无形影响。

长期以来，人们把旅游仅仅视为“软实力”。

说旅游是软实力有道理，这是由旅游的文化属性和社会功能决定的。文化是旅游的灵魂，旅游是文化的载体。没有文化的旅游没有魅力，没有旅游的文化没有活力。同时，旅游还是文化交流的重要渠道、文化传承的重要依托、文化创新的重要动力。通过旅游，可以传播一个国家和民族的优良传统和文化魅力，促进不同文化背景人们间增进了解、加强互信、密切情感，展示一个国家和民族的整体形象、文明素养、价值追求，促进人与自然和谐发展。在我国，通过旅游，还可以全方位、多视角展示中国文化的独特魅力，宣传中国和平、发展、开放、文明的国家形象，让世界更广泛、更深刻地感受中国文化的无穷魅力；同时有利于增强国民的自豪感和幸福感，弘扬爱国主义精神和社会主义核心价值观，为实现中华民族伟大复兴“中国梦”，凝聚和激发全体人民的精神力量。从这个意义上来说，旅游当然是重要的软实力。

但是，旅游更是一种硬实力，这是由旅游业的产业属性和经济功能决定的。旅游业已成为国民经济的综合性产业，关联度大、产业面广、拉动力强，与旅游相关产业达 110 多个。无论是对 GDP 的贡献，对消费、投资、出口的贡献，还是对民生的贡献，对就业、减贫、环保的贡献，都充分体现了旅游业是一个国家和地区的硬实力。全国有 28 个省区市把旅游业定位为战略性支柱产业，旅游业成为新常态下经济增长的重要驱动力。2013 年我国居民国内旅游总花费占居民消费支出总额的 12.38%，旅游拉动出口占当年出口总量的 7% 以上，2014 年旅游直接投资 7053

亿元，同比增长32%。这充分体现了旅游业已成为我国经济发展的硬实力。从地方来看，旅游作为硬实力的体现则更为明显。

总之，仅仅说旅游是软实力或硬实力，都不准确。应当看到，旅游业已成为“软硬兼备、融合度高、覆盖面广、拉动力强的综合性实力”，是形成国家和地区综合实力的标志产业，是促进国民精神文化享受、提升生活质量的代表行业，是推动人的全面发展、促进人与自然和谐的民生事业。

2.是否存在所谓的“中国旅游贸易逆差”

有一种说法很流行，说“中国存在巨额的旅游贸易逆差”，甚至算出“2013年我国旅游贸易逆差730亿美元，2014年旅游贸易逆差突破1000亿美元，5年增长近50倍，我国已成为世界旅游服务贸易逆差最大的国家”。

但是，这实际是一个误导性的说法。

其一，我国出境旅游支出和入境旅游收入，目前不是同一个统计口径，不具可比性，更不能简单相减。我国还没有建立起海外旅游支出的统计调查制度。出境花费是国家外汇管理局统计的境外中国公民的花费，既包括旅游，也包括求学、就医等花费，是一个大口径的统计。而入境旅游收入，只是对入境游客进行抽样调查的旅游花费，不包括长期（超过一年）医疗和留学费用。两者统计口径一大一小，不能简单相比，更不能直接相加相减。我们难道能够拿桌子的数量去减杯子的数量吗？

其二，出境旅游支出和入境旅游收入还存在统计范畴的差异。按现行统计口径，入境旅游花费调查分为过夜和不过夜游客，出境旅游花费调查则不分过夜和不过夜游客。此外，国家外汇管理局统计的境外花费，是根据其他国家和地区发布的中国游客在其入境花费整理计算的，而各国和地区对入境游客在当地的人均花费统计测算方法不尽相同，各国游客花费数据也不具可比性。

其三，出境旅游购物花费高，有着突出的阶段性特征和政策性制约因素。我国出境旅游花费主要高在境外购物，特别是购买奢侈品上。这不是典型的旅游消费行为，而是一种贸易替代。联合国 2008 版国民经济核算体系（SNA）调整了旅游卫星账户核算范围，将奢侈品购物从服务贸易调整到货物贸易。而现有中国出境游客花费数据没有扣除这一因素。随着自贸区的建设、改革开放的进一步深化以及出境游客消费逐步成熟，这种排浪式的海外购物特别是购买奢侈品的消费将会逐渐回归理性。

其四，对出境旅游支出和入境旅游收入应该进行结构性分析。2014 年，我国入境旅游 1.28 亿人次，出境旅游 1.09 亿人次，入境旅游比出境旅游多 1900 万人次。按照中国港澳台、亚洲、欧美等主要客源市场分别对出境和入境花费进行对比调查分析，入境旅游收入理应高于出境旅游支出。计算差额还应扣除海外接待体系的资金回流及出境旅游花费中发生在国内的费用。据国家信息中心课题组初步调查研究，扣除上述因素后，不仅没有所谓巨额的中国旅游贸易逆差，还存在一定规模的顺差。

其五，不应将出境旅游、入境旅游割裂开来孤立看待，而应建立“旅游入出境总人次”的概念。我国已成为既是重要的入境旅游目的地国家，也是重要的出境旅游客源地国家，这是民富国强、旅游兴旺发达的体现。旅游服务贸易对客源地和目的地产生的拉动是综合性的，不应只考虑入境或出境某一方面。因此应该把入境旅游与出境旅游作为一个整体，研究统筹用好两个市场、两种资源。如外贸强调进出口总额，反映一个国家或地区对外经济交往的总规模。

3.旅游业只富民不富财政吗

直到今天，许多人仍然认为，“旅游业富民不富财政”。

在旅游业发展初期，这的确是事实。但是，中国旅游业发展到今天，情况已大为不同，如果还是墨守成规，那就 OUT 了。

发展初期，之所以存在“旅游业富民不富财政”的情况，是由旅游业发展初级阶段特点所致。一是旅游业发展的市场主体小、弱、散，许多还是老百姓自发办旅游，多是散兵游勇，打游击战，能产生的税收本来就很少，再加上征收困难，征税成本高，好一点的采取包税制，更差的是根本找不到纳税人，所以旅游税收不可能大；二是旅游业发展多处于主要依靠老天爷、老祖宗留下的自然和文化遗产资源办旅游，投资少，开发水平低，经济效益差，带动能力弱，自然就没有多少税收；三是多为政府办旅游、事业单位办旅游，税费减免多，而吸引外资办旅游又有税收优惠，所以旅游对财税难有大贡献；四是旅游产品以观光为主，旅游消费以旅行社组织线路为主，很多人带着干粮和水去旅游，停留时间短、消费水平低，自然产生不了多少税收和财政贡献；五是多数地方还只是“门票经济”，对服务要素拉动小，对财税贡献小。所以，这一阶段旅游业的贡献主要体现在富民上。

但是，进入 21 世纪，随着我国旅游产业化、大众化时代的到来，情况已经发生了实质性改变。旅游业的富民功能在不断凸显的同时，对财税的贡献也在快速提升。这是由现阶段旅游业发展的新特点决定的。一是我国旅游业发展已经逐步跨入大企业推动阶段。市场主体不再以小企业为主，大批非旅游类大型企业快速进军旅游领域，旅游产业化、集团化趋势明显，带来的财政税收显著增加。二是旅游业发展进入大资本、大项目带动阶段。发展旅游业不再单纯依靠传统的旅游资源，特别是老天爷和老祖宗留下的自然和文物资源。大规模社会资本进入旅游业，创新了资源形态，依靠大项目创造旅游吸引物，形成了一批几十亿、上百亿甚至几百亿元投资规模的旅游大项目，创造了一批综合性旅游度假区、国际品牌酒店、大型主题公园和旅游产业集聚区等，旅游业对财税的贡献能力大幅提升。三是旅游业已经进入产业融合发展新阶段。旅游与一产的融合，催生了乡村旅游、休闲农业的全面繁荣；旅游与二产的融合，带动了旅游用品、旅游商品和房车、游艇、邮轮、索道、游乐设备等大型旅游装备制造业的发展；旅游与三产的融合，拉动了文化、信息、金融、商业、运输等服务业的发展。旅游产业融合发展，对经济的综合带动功能全面凸显。四是旅游征税体系不断完善。旅游由起初的游击战为主的发展格局，转变为现在的阵地战、百团大战、集团大会战的发展格局，为旅游业科学征税创造了有利条件，旅游税收的逃、漏者很难立足。

在此背景下，旅游业已经成为许多地区重要的财税来源。旅游对财税的贡献带动性强、乘数效应大，除了直接的财税贡献外，带动大批相关产业和配套服务的税收且也有很大规模。如张家界、峨眉山、黄山、丽江等旅游地，旅游业是当地财税的重要支柱，对财税综合贡献超过 20%。许多旅游景区每年纳税上亿元甚至数亿元，是当地的纳税大户，成为主要财税来源。

大集团进军旅游业，带来的税收及非税财政贡献更加明显。2013 年，首旅、国旅、中青旅、携程、华侨城、港中旅、锦江国际、海航旅业、开元旅业、万达旅业 10 个旅游企业上缴税收就超过 82 亿元。其中华侨城旅游板块纳税 28 亿元，首旅集团纳税近 20 亿元，国旅集团纳税 6.7 亿元，开元旅业纳税 6.6 亿元。2013年，全国1.16万家星级饭店，平均每家上缴营业税112万元，其中 480 家外资酒店平均每家上缴营业税 300 万元，带动的其他消费及企业、个人所得税则更大。此外，旅游企业在税收之外承担的各种附加费，及带动相关产业纳税，都还有很大一块。

事实表明，旅游业不仅富民，也富财政。而且，随着旅游业市场化、产业化、集聚化发展加快，旅游产业面不断拓展、产业链不断拉长，旅游对富民和富财政的贡献都将越来越凸显。

4.旅游业对国民经济的贡献仅仅是消费吗

关于旅游业对国民经济的贡献，我们经常都是在说对消费的贡献，在各种重要的文件中，也是将旅游仅仅放在促进消费方面加以论述，很少提及旅游业对投资带动、出口拉动方面的贡献。事实上，旅游对国民经济发展的贡献，不仅是拉动消费，对投资和出口都有着越来越强劲的拉动作用。旅游不仅是消费热点，也是投资热点、出口热点。

从消费拉动看，2013 年，我国居民国内旅游总花费占居民消费支出总额的 12.38%。旅游休闲消费是国务院确定重点加以推进的六大消费领域之一。

从投资拉动看，旅游投资需求大、热点领域多、潜力大，在其他领域投资乏力的情况下，全国旅游投资强劲增长，2014 年全年完成旅游直接投资 7053 亿元，同比增长 32%，比第三产业投资增速高 15 个百分点，比全国投资增速高 16.2 个百分点。未来三年，旅游直接投资将超过 3 万亿元。乡村旅游开发、旅游小镇建设、大型景区和度假区建设以及医疗健康旅游、养生养老旅游、自驾车房车旅游、邮轮游艇旅游、网络在线旅游等旅游项目和旅游商品、户外休闲用品、旅游装备制造业等正在成为旅游投资的热点领域。而且，旅游投资的带动性强，按照国际上 1∶5 的旅游投资带动系数测算，未来三年我国旅游业将带动 15 万亿元以上的综合投资。

从出口拉动看，随着我国出境旅游的大规模快速增长，有实力的旅游企业纷纷到国外收购或改造酒店，投资建设度假设施，许多中国人也纷纷到国外买房产，一部分用于孩子读书或置业，但很大一部分也是用于个人或朋友度假。在欧美，收购一个中等规模的四星级酒店大约投资 1 亿美元，之后改造装修提升需要再花费 1 亿美元，大部分建筑材料、酒店用品、各种设施和装备都从中国出口过去，许多酒店管理人员和服务员也都从中国带过去，旅游业对我国的出口综合带动效应日益显著。根据国家信息中心初步测算，2013 年旅游业拉动出口占当年出口的 7% 以上。出境旅游，以人员“走出去”为先导，带动对外投资、货物出口、技术出口、服务出口，是新一轮对外投资和出口的“先遣队”。

5. “旅游六要素”能涵盖今天的旅游吗

一说到旅游，人们就会提及旅游“六要素”——“吃、住、行、游、购、娱”，可谓无人不知、无人不晓。应当说，“六要素”精辟概括了旅游活动，是直到现在对旅游业描述最简洁、最准确、传播最广的概念。

如今，激发人们旅游的动机和体验要素越来越多，需要拓展新的旅游要素。总结旅游业这些年的发展，在现有“吃、住、行、游、购、娱”旅游六要素基础上，可否概括出新的旅游六要素：“商、养、学、闲、情、奇”？前者为旅游基本要素，后者为旅游发展要素或拓展要素。

“商”是指商务旅游，包括商务旅游、会议会展、奖励旅游等旅游新需求、新要素；“养”是指养生旅游，包括养生、养老、养心、体育健身等健康旅游新需求、新要素；“学”是指研学旅游，包括修学旅游、科考、培训、拓展训练、摄影、采风、各种夏令营冬令营等活动；“闲”是指休闲度假，包括乡村休闲、都市休闲、度假等各类休闲旅游新产品和新要素，是未来旅游发展的方向和主体；“情”是指情感旅游，包括婚庆、婚恋、纪念日旅游、宗教朝觐等各类精神和情感的旅游新业态、新要素；“奇”是指探奇，包括探索、探险、探秘、游乐、新奇体验等探索性的旅游新产品、新要素。

拓展出“商、养、学、闲、情、奇”旅游发展六要素，也只是基于现阶段实践的总结，随着旅游不断升级，今后还会拓展出更新、更多的旅游发展要素。这是旅游业蓬勃发展的大趋势。

厘清、阐明上述观点，旨在通过澄清正误、深化认识，增强我们旅游业的产业自信、行业自信和事业自信。新阶段既是我国旅游业的发展机遇期和转型攻坚期，也是矛盾凸显期。旅游业改革发展的使命光荣、任务艰巨，我们旅游行业迫切需要不断强化产业自信、行业自信、事业自信，增强责任感、使命感和敢于担当的精神，不断提升整合资源、统筹发展和引领创新的能力。我们迫切需要强化大胆创新的工作思路、一抓到底的工作作风、攻坚克难的工作力度、整合资源的工作格局、重点突破的工作路径、主动作为的工作激情。

三、2015 ~ 2017 年全国旅游工作部署

我们必须创新工作方式，长、中、短期相结合，构建一套连

贯、完整的工作思路，做到长远有方向、中期有目标、近期有计划、年度有方案，形成“谋划长远、规划中期、计划滚动、安排当年”的工作格局。

谋划长远，主要是编制《到新中国成立 100 周年中国旅游业发展战略纲要（2015 ～ 2050）》，回顾和总结改革开放以来 35 年旅游业发展的重大成就和基本经验，在此基础上，谋划和制定未来 35 年我国旅游业发展的总体战略。主要是方向展望、远景预测、宏观谋划，属于前瞻性、预测性、纲领性层面，因而，不可能、也不必过于具体细致。我们正在与中国国际经济交流中心商议，充分用好国家一流智库资源。

规划中期，就是要集中力量编制《中国旅游业发展第十三个五年规划》。按照汪洋副总理的指示精神，我们要重点做好五年、十年规划。为此我们成立了规划编制领导小组，充分利用社会资源和力量，广泛征求旅游业内外、海内外同行的意见建议，集思广益。

计划滚动，是指筹划跨年度的旅游改革发展思路，形成一套比较系统的行动方案。初步考虑以三年为一个基本单元，逐年滚动，与时俱进。

安排当年，是指在滚动计划中，制订当年具体的工作方案。

未来三年，我国旅游业面临新的国际国内形势。从国际看，世界经济总体延续缓慢复苏态势，政治、经济、地缘等各种因素相互交织，世界经济仍处在国际金融危机后的深度调整期。同时，许多国家和地区把振兴旅游业作为刺激经济增长的重要举措，对中国游客抱有很大的期望，出台了很多吸引中国游客的政策措施，比如美国就将中国公民赴美商务旅游签证有效期延长到10年。从国内看，我国经济发展进入新常态后，增长速度正从10%左右的高速增长转向7%左右的中高速增长，经济发展方式正从规模速度型粗放增长转向质量效率型集约增长，经济结构正从增量扩能为主转向调整存量、做优增量并举的深度调整，经济发展动力正从传统增长点转向新的增长点。纵观国际国内形势，新时期、新常态下，旅游业在调结构、转方式上承担着重要的历史使命，不仅在消费，而且在投资、出口上对我国经济发展都应做出更大贡献。

今后三年，我国旅游业发展要实施“515战略”，即紧紧围绕“文明、有序、安全、便利、富民强国”5大目标，推出“旅游10大行动”，实施“52项举措”，推进旅游业转型升级、提质增效，加快旅游业现代化、信息化、国际化进程。

——文明，就是要推动旅游者文明出游，旅游企业诚实守信，从业人员服务至诚。使旅游者普遍做到“讲安全、讲礼仪、讲卫生，不大声喧哗、不乱写乱画、不违法违规”；旅游企业普遍做到讲信誉、重品牌、有担当；从业人员普遍做到自觉宣传文明旅游，自觉引导游客文明旅游。使长期以来存在的旅游不文明顽疾得到有效治理，在全社会形成弘扬文明旅游的新风。

——有序，就是要实现市场有序、竞争有序、管理有序、出游有序。强化法治意识和规则意识，坚持依法兴旅、依法治旅。防止“劣币驱逐良币”，让优秀旅游企业脱颖而出，让不法企业得到应有的惩罚。做到旅游各个环节运行井然有序，让游客愿消费、敢消费、放心消费，高兴而来、满意而归。

——安全，就是要坚持安全第一，强化政府的监管责任，企业的主体责任，增强游客的自我防范意识。要做到游前有提示，游中有警示，意外有救援，全程有保险。实现旅游安全意识明显提高，安全旅游深入广大游客心中，安全生产成为旅游企业的自觉选择，游客生命财产安全得到有效保障。

——便利，就是要努力做到信息获取的即时化，交通出行的通畅化，通关手续的便捷化，旅游设施的人性化。通过提高旅游业的便利化水平，让“咫尺天涯”变成“天涯咫尺”，实现“说走就走的旅行”。

——富民强国，就是要通过旅游业发展，不断提高旅游业在国民经济中的比重、国内旅游消费占居民消费的比重、旅游进出口总额占服务贸易进出口总额的比重。待旅游基本统计测算体系建成后，我们将提出具体的量化目标。今后三年，旅游投资总额要达到 3 万亿元；要新增旅游就业 180 万人，每年带动 100 万人口通过发展旅游业实现脱贫；基本实现把旅游业培育成国民经济战略性支柱产业的目标。

2015 年旅游工作的指导思想是：全面贯彻党的十八大和十八届三中、四中全会精神，以邓小平理论、“三个代表”重要思想、科学发展观为指导，认真学习贯彻习近平总书记系列讲话精神，按照中央经济工作会议的总体要求，主动适应经济发展新常态，把改革创新摆在突出的位置，把握旅游规律，增强产业自信、行业自信和事业自信，创新工作方式，担当发展使命，着力创新旅游管理体制，着力依法规范旅游市场，着力推进现代旅游产业发展，着力培育旅游经济增长点，让旅游更安全、更便利、更文明、更舒心，为推动经济提质增效升级、人民群众生活水平跃升做出新贡献。

2015 年旅游业发展预期目标为：国内旅游 39.5 亿人次，增长 10%；旅游入出境 2.48 亿人次，增长 4.6%，其中入境 1.28 亿人次，与上年基本持平；出境 1.2 亿人次，增长 10%。旅游总收入 3.66 万亿元，增长 11%。除入境旅游外，全面实现“十二五”确定的发展目标。

今后三年，我们将重点做好以下工作：

（一）坚持问题导向，依法整治旅游市场秩序

长期以来，旅游市场秩序失范已成千夫所指。相当一部分地方旅游市场乱象丛生，欺行霸市、垄断市场、非法经营、欺客宰客、强迫消费，有的甚至有黑恶势力渗透。人民群众对这种治理乏力、正气不彰的状况极为不满。如果继续任其发展，无疑是我们的严重失职。旅游市场秩序是衡量地区旅游发展水平的首要标准，加快旅游业发展当然是我们的重要目标，但市场秩序不好，游客感受不佳，社会反响很差，速度再快也不能说成功。要敢于担当、主动作为，形成标本兼治、惩建并举、综合治理的工作格局，建立市场监督的长效机制，通过一系列“组合拳”，明显遏制旅游市场乱象。

1. 推出四项制度。（1）强化督办制度。国家旅游局要对重大旅游市场秩序事件加强督办，省区市旅游管理部门也要履行职责，实行相应的督办制度，强化地方政府对旅游市场治理规范的主体责任，强化相关部门治理旅游市场的共同责任。（2）建立旅游市场秩序综合评价制度。从2015年第二季度开始，国家旅游局将按季度发布各地旅游市场秩序综合水平指数，让全社会都来评价和监督旅游市场秩序的管理。（3）建立健全服务等级"退出制度"。对旅游市场秩序问题实行一票否决，摘掉一批市场秩序混乱的A级旅游景区、星级旅游饭店牌子，处罚一批有违法违规行为的企业。（4）建立旅游目的地警示制度。对整治不力、管理不善的地方，发出整改通知，并根据整改效果，分级发布红、橙、黄、蓝旅游警示，让旅游市场秩序好的地方"游客盈门"，差的地方"门可罗雀"。

2. 加强综合整治。加强与公安、工商等相关部门的联动，加大旅游市场秩序整治力度。对踏"红线"、闯"雷区"等违反规定的行为零容忍，重点打击严重扰乱市场秩序的"黑社"、"黑导"、"黑车"、"黑网站"等非法行为。要通过旅游市场综合整治行动，加快形成综合整治的有效机制，并使之常态化、长效化。

3. 创新社会监督形式。鼓励各地结合实际，创新社会监督组织管理的方式，动员万名社会监督员对旅行社、导游、饭店、景区、交通、购物等各个环节开展明察暗访。设立"品质旅游产品榜"，开展旅游服务"大家评"。支持旅游协会等中介组织制定评价旅行社、导游、饭店、景区的服务标准，开通游客网上评价旅游企业和从业人员平台，形成优胜劣汰的正向机制。强化媒体的舆论监督，支持媒体曝光旅游违法违规事件。

4. 严厉打击旅游失信行为。“人背信则名不达”。建立健全旅游信用信息公示制度，发布“旅游失信行为记录”，依法公布违法违规信息，使违法违规旅游企业和从业人员无藏身之地。加强与新闻媒体的合作，加大对典型事件的曝光力度，形成舆论攻势。与相关行业形成旅游失信信息共享制度，让旅游失信行为者付出巨大代价。

5. 加强导游、领队的保障、培训和管理。（1）维护导游、领队合法权益，尊重他们应有的社会地位。从实际出发，对导游进行分层管理，按照初、中、高级分层次界定导游资格。（2）在大型旅游企业开展导游、领队管理体制改革试点，保障导游、领队的合法权益，规范导游、领队的执业行为，建立健全导游、领队的进入和退出机制。（3）出台《进一步加强导游劳动权益保障的指导意见》。开展劳动合同集体协商试点，协调解决导游社会保险覆盖率、保障水平不高的问题。（4）加强对导游、领队的培训。2015 年，创建导游研修“云课堂”，利用互联网通信技术和云平台技术，为全国导游员搭建一个开放、便捷、公益的专有学习平台和空间，让全国导游员突破地域限制，通过域名或二维码随时、随地利用移动终端进入课堂学习。“云课堂”将创新工作手段，利用组织基础精品课程、开展丰富多彩的课程（视频）征集、导游知识经验分享、导游讲解比赛等线上和线下活动，鼓励和引导全体导游员不断学习、提升素质、弘扬正气、聚集正能量。国家旅游局将出台相关政策，鼓励和要求全体导游员登录“云课堂”进行学习，并将学习时长作为评优、晋级或年审的条件之一。2015 年导游研修“云课堂”计划覆盖全国 3 万多名中高级导游员，用三年时间覆盖全体持证导游员。各省区市旅游委（局）要组织导游免费（包括教材）轮训，每期不少于两周，三年普遍轮训一次。（5）各地要开展导游管理创新试点，严格规范导游执业行为，加强导游自律管理，提升导游服务质量，严厉打击强迫消费等损害游客权益的行为。加强对旅行社及导游、领队的管理，规范入出境旅游经营活动，维护旅游者合法权益。

（二）坚决惩治旅游不文明行为，营造文明旅游大环境

文明旅游关乎国家和民族形象，体现公民素质。虽然文明旅游问题已引起各方面的关注，但文明旅游还没有成为广大游客的普遍习惯，还没有成为旅游经营者的自觉倡导。要按照习近平总书记关于文明旅游“宣传教育，约束规范，深化社会监督”的重要批示精神，一抓到底，抓出成效。当前重在惩戒旅游不文明行为，紧紧抓住典型案例，发挥警示教育作用。从最恶劣事件抓起，通过惩治旅游不文明行为，达到弘扬文明旅游的目的。

6. 重点整治出境旅游不文明行为。（1）发布出境旅游文明提示。国家旅游局协调电信部门，通过手机短信，使游客一踏上境外旅游目的地就能收到国家旅游局发布的“讲安全、讲礼仪、讲卫生，不大声喧哗、不乱写乱画、不违法违规”的温馨提示。

（2）做到出境旅游管理“三到位”。即审核培训责任到位，行前说明提示到位，领队履行职责到位。（3）把好出境旅游管理“三关”。充分发挥各级出境旅游文明协调机制作用，把好“组团关”、“落地关”、“行程关”。积极协调相关方面，对不文明旅游者进行依法处置，依法制定对不文明旅游者的追责制度，共同创建文明有序的中国公民出境旅游市场秩序。

7. 分级建立游客旅游不文明档案。制定并实施《游客旅游不文明记录管理办法》，与航空公司、旅行社、旅游饭店等涉旅企业联动，形成游客旅游不文明信息通报机制。

8. 动员全社会营造文明旅游大环境。开展旅游不文明“随手拍”活动，将旅游不文明照片、视频等在媒体上集中公布，形成声讨旅游不文明行为的浓厚氛围。开展文明旅游“提个醒儿”活动。向社会广泛征集文明旅游提醒语，选择文化、演艺、体育等领域的名人，作为文明旅游“提个醒儿”活动的“文明旅游提醒人”，使文明旅游理念深入人心。开展“文明旅游背包行”公益宣传活动。每年选择 10000 名在校大学生，利用暑期，背包自助出游宣传文明旅游，组织媒体宣传报道，扩大影响。

（三）强化底线思维，构筑旅游安全保障网

安全是旅游行业的生命线。随着我国公民出游规模日益扩大，旅游安全问题变得愈加突出。旅游活动自发性、集中性和突发性很强，一旦出现安全事故，很容易造成严重损失。我们要牢牢绷紧安全这根弦，强化安全意识，落实安全责任，健全旅游安全设

施设备，强化安全保障措施，努力消除安全隐患，提高保险保障水平，完善应急救援体系，努力编织一张安全防护网，覆盖各个环节，惠及每位游客，让每位游客能游得放心、游得安心。

9. 建立旅游安全预警机制。“凡事预则立，不预则废。”要加强旅游安全提示信息的发布渠道建设，充分利用微信微博、手机短信等手段，提高安全提示信息的受众面和时效性。在重要媒体专门开辟境外旅行安全提示专栏。发布热点景区景点最大承载量警示信息。建立旅游目的地安全风险提示制度，深化旅游气象合作，加快“中国旅游天气网”及旅游气象服务示范区建设，发布旅游目的地气象预警，提升旅游行业灾害性天气预警防范能力。

10. 强化重点领域和环节的监管。与交通运输、公安等部门共同建立对旅游用车联合检查制度。协助交通部门全面推动旅游客运汽车安装具有行驶记录功能的卫星定位装置并实行联网联控。加强对大型旅游节庆活动的安全管理，做到活动方案和应急预案同时报批，应急预案要责任落实、人员落实、措施落实。协调高风险旅游项目安全管理。

11. 增强全社会旅游安全意识。播放旅游安全公益宣传片、免费发放《旅游突发事件应急手册》、开展“旅游安全宣传咨询日”。利用电视、互联网、微信微博等，开辟宣传新途径。引导旅游企业分别通过服务窗口、电子屏、宣传栏及行前说明会等方式开展旅游安全宣传，引导旅游者认识和规避出游风险。完善出境游客信息自愿备案制度，制作游客安全信息卡。

12. 加快旅游紧急救援体系建设。建设国家旅游应急指挥平台，并实现与各省区市平台的对接。推动建立政府救助与商业救援相结合的旅游紧急救援体系，鼓励有条件的旅游企业建立专、兼职的紧急救援队伍。加快完善国家旅游紧急救援黄山基地建设。积极探索利用公安、消防、武警等救援力量和专业化救援队伍为旅游紧急救援提供服务的新机制。推广利用商业保险的境外救援新模式。

13. 完善旅游保险保障体系。继续实施旅行社责任保险全国统保示范项目，推动住宿、旅游交通及高风险旅游项目等经营者实施责任保险制度。继续深化“旅保合作”机制，推动保险机构完善旅游保险产品和服务。加强与重点出境游目的地开展旅游保险合作，以俄罗斯、中国台湾等为试点，进一步提高出境旅游保险保障和服务水平。

（四）发动全国旅游厕所建设管理大行动（旅游厕所革命），加强旅游公共服务体系建设

旅游公共服务是保障大众消费的重要基础，是社会事业的重要内容，也是旅游目的地竞争力的重要体现。经过多年建设，我国旅游公共服务设施有很大改观，取得了很大成绩，但与游客要求和国际旅游标准还有很大差距。旅游厕所问题尤为突出，数量过少、质量低劣、分布不均、管理缺位。尽管有一批厕所有一定档次，但是大面积看，就是三个字：脏、乱、差。我们要在全国范围内发动一场旅游厕所建设管理大行动。

14. 启动旅游厕所建设管理大行动。启动现场会定于今年春

节后一上班召开。从今年开始，用三年时间，通过政策引导、资金补助、标准规范等手段持续推进。到2017年最终实现旅游景区、旅游线路沿线、交通集散点、旅游餐馆、旅游娱乐场所、休闲步行区等的厕所全部达到优良标准，并实现“数量充足、干净无味、实用免费、管理有效”的要求。今后三年，全国将新建旅游厕所33500座，改扩建旅游厕所25000座。其中，2015年全国新建旅游厕所13000座，改扩建旅游厕所10000座。

15. 务实推进旅游厕所建设。国家旅游局将制定出台《关于实施全国旅游厕所革命的意见》，加大政策扶持力度。各地要加强资金调配，协调项目资金、用地、用水、用电等问题，保障旅游厕所的新建改建顺利开展。修订发布《旅游厕所质量等级的划分与评定》国家标准，国家旅游局将适时组织交叉验收和抽查复核。连续三年召开专题会，对旅游厕所革命工作进行总结评比和经验交流。各地要积极举办厕所设计大赛，推进旅游厕所革命的深入发展。推动社会经营场所以及机关企事业单位厕所对游客开放，加强旅游厕所革命的宣传，引导游客爱护设施、文明如厕，努力营造健康的厕所文化。鼓励以商建厕、以商养厕、以商管厕。各地可以出台相应的政策措施予以支持。表彰一批以商建厕、以商养厕、以商管厕的先进典型，授予先进单位荣誉称号。

16. 提升目的地旅游公共服务功能。重点抓好城市的旅游集散、休闲设施以及旅游服务岛建设。制定《城市游客中心规范》标准，以游客中心为着力点，带动旅游公共服务体系的完善。根据游客增长的需要，不断加强和完善城市的公共基础设施，鼓励开通观光巴士。支持城市开放包容，鼓励对游客实施同城待遇。开展旅游休闲示范城市建设，完善旅游休闲目的地体系。完善乡村旅游厕所、停车场、标识标牌等公共服务设施。各地要量化指标，实行目标考核。

17. 推进交通便捷服务体系建设。与交通运输部建立部际合作机制，定期协商、共享信息，每年重点解决几个影响旅游交通的难点问题。推进公共交通发展布局与旅游业的发展格局相匹配，提高通往景区道路的建设标准，努力解决“断头路”和“最后一公里”问题。推动开通旅游专线，推进完善以旅游交通引导标识、旅游交通导览图为重点的旅游交通引导标识系统，完善自驾游服务体系。

（五）充分发挥政府和市场“两只手”作用，创新旅游产业促进机制

在当前经济发展新常态下，要发挥旅游业在稳增长、调结构中的重要作用，归根结底得做大做强旅游业。我们要把抓好旅游产业发展作为工作的重要内容，做深做实。我们要转变只抓行业、不抓产业的惯性思维，解决好抓产业缺少抓手的实际问题，创新旅游产业促进机制。抓旅游产业发展，既要用好“看不见的手”，发挥市场在配置资源中的决定性作用，也要用好“看得见的手”，主动作为，善于作为，加强引领、整合和服务，引导产业持续健康发展。

18. 着力强化旅游部门产业促进职能。国家旅游局将促进旅

游产业发展作为重要抓手，在职能机构配置上优化充实，通过“四强化”，提升旅游部门对产业发展的引领能力和整合能力：强化规划统筹，加强对旅游规划的实施监督和评估；强化要素整合，促进旅游资源科学利用和旅游产品有序开发；强化投资引导，发挥市场对资源配置的决定性作用；强化区域协调，促进区域旅游协同发展。各地也要高度重视、结合当地实际，切实加强对旅游产业促进职能的充实完善。

19. 多措并举创新旅游投融资平台。国家旅游局将联合有关部门、金融机构和大型旅游企业，共同设立中国旅游产业促进基金，实行市场化运作，重点支持投资需求大、综合效益好并且具有示范作用的旅游项目建设。国家旅游局将会同国家开发银行、中国农业银行等更多的金融机构联合推出中国旅游投融资优选项目，共同举办“2015 中国旅游投资论坛暨旅游投融资优选项目推介大会”。有条件的省区市也要设立旅游产业基金，发挥财政资金的杠杆作用，撬动社会资本投入旅游业。各地要创新旅游招商引资方式，突出旅游目的地自身的特点，有重点、有选择地推动旅游项目建设，防止“一哄而上”。要改进全国旅游投资项目信息系统，完善全国旅游投资统计，使旅游投资说得出数、说得准数。

20. 大力扶持旅游企业创新发展。企业是旅游产业的基础，各级旅游部门务必增强服务意识，帮助企业做强做大。（1）营造公平竞争的营商环境。认真落实好旅游企业与工业企业水电气同价等政策。（2）构建统一开放的旅游大市场。坚决取消不利于企业发展的区域壁垒、地方保护等做法，鼓励旅游企业网络化、品牌化连锁经营。对跨行政区划的，各级旅游委（局）要出面协调。（3）推进旅游企业集团化发展。鼓励旅游企业做大做强，支持大型景区企业上市融资，支持景区采取门票质押、经营权抵押等方式融资。各级旅游产业基金要重点支持骨干企业发展。（4）支持旅游企业“走出去”。积极协调旅游企业“走出去”并充分享受国家相关扶持政策。利用我国出境旅游的影响力，努力为我国企业创造机遇、改善国际环境。（5）帮助企业解决实际困难。帮助旅游企业上市融资、发行企业债券，推进落实旅游中小企业享受国家相关扶持政策、小微企业减免税政策。国家旅游局将对投资、就业、入境旅游贡献大的旅游企业进行表彰。

21. 开展中国国际特色旅游目的地品牌创建。以“特色化、品牌化、国际化、系列化”为目标，构建“中国国际旅游目的地”系列品牌。2015 年国家旅游局将选择 10 ~ 15 个特色品牌类型，每个品牌 1 ~ 2 个旅游目的地，以目的地城市政府为主体进行创建试点，形成调动地方党委、政府发展旅游积极性的新抓手。

（六）大力开发新产品新业态，促进旅游消费转型升级

随着旅游业的发展和旅游需求的升级，除了模仿型、排浪式的大众化旅游消费外，个性化、多样化的旅游消费需求也在迅速增加。目前，旅游产品结构不适应旅游市场结构的态势日益明显，高水平、高质量的休闲度假类产品奇缺。这既不能充分满足

人民群众日益增长的旅游需求，也制约了旅游业的转型升级、提质增效。当前和今后一个时期，要把传统产品升级和丰富新产品新业态摆在突出的位置，推动旅游产品结构由观光为主，向观光、休闲、度假复合发展转变，推动三大市场全面发展。

22. 全力推进乡村旅游和旅游扶贫、旅游致富工作。要认真抓好乡村旅游富民工程的实施，切实帮助做好乡村旅游规划指导、市场推广、人才培训和基础设施、公共服务设施提升，开展乡村旅游改厨、改厕和环境卫生整治。要认真落实旅游扶贫工作要求，与扶贫部门一道，每年共同完成1000个扶贫重点村、500个建档立卡贫困村乡村旅游扶贫任务。重点支持一批有条件的乡村发展特色旅游，带动广大农民致富。要干出样子、走出路子。高度重视调动农民的积极性、发挥农民的创造性，因地制宜发展不同特色的乡村旅游。要在乡村旅游发展中切实保护好、维护好农民的根本利益。

23. 积极开发休闲度假产品。（1）实施旅游精品工程，完善5A级、4A级旅游景区创建，提升观光旅游品质，清退一批不合格的5A级、4A级旅游景区。（2）实施旅游度假区国家标准认定，在省级旅游度假区中，选择一批符合条件的，正式认定为国家级旅游度假区。（3）落实《国民旅游休闲纲要（2013 ~ 2020年）》，借鉴旅游发达国家做法，制定国家旅游休闲区标准，开展创建国家旅游休闲区试点工作。（4）鼓励各地积极开发市场需求旺盛的温泉旅游、滑雪旅游、邮轮旅游、滨海旅游、山地旅游、森林旅游、生态旅游等休闲度假产品。（5）支持各地推出一批高品位的主题公园和旅游演艺节目。

24. 培育大众化旅游消费新热点。（1）围绕全国重点旅游区域、重点旅游线路、重点旅游城市、重点旅游景区，规划建设一批自驾车、房车营地，推动完善自驾车、房车旅游服务体系。（2）会同国家中医药管理局，推动建设一批中医药健康旅游示范区，既弘扬中华医学文明，又打造新的旅游产品。（3）会同有关部门开展"'读万卷书，行万里路'研学旅游"等活动，建设一批研学旅游基地，推进研学旅游全面开展。（4）完善老年旅游服务规范，推出一批适合老年人的养生度假产品，鼓励景区景点对老年旅游给予优惠。（5）鼓励各地通过财政补贴等方式，为青少年研学旅游、老年人旅游购买旅游意外保险，让青少年、老年人放心出游。试点开展旅游景区责任险联合投保。

25. 深入挖掘旅游购物潜力。（1）实施中国旅游商品品牌提升工程，推出一批中国旅游特色商品名单，引导旅游购物。（2）做好农副产品通过乡村旅游渠道或互联网电商销售。（3）与财政、税务、海关等部门共同落实好入境游客购物退税政策，提高入境游客购物消费水平。（4）办好中国旅游产业博览会、中国国际旅游商品博览会和农村妇女手工艺编织品展。

26. 积极发展红色旅游。系统总结十年红色旅游发展情况，全面完成红色旅游二期规划。编制红色旅游发展三期规划。制定红色旅游经典景区旅游行业标准。开展"铭记历史，圆梦中华"纪念世界反法西斯战争胜利暨抗战胜利 70 周年红色旅游主题宣传活动，开展薪火相传纪念红军长征胜利 80 周年主题宣传活动，举办红色旅游讲解大赛，组织红色旅游进校园，举办全国大学生红色旅游线路设计大赛，举办首届革命老区红色旅游展销会，摄制大型红色旅游系列纪录片《红色地标》。推进红色旅游国际交流与合作。对红色旅游开发中存在的追求奢华、过度建设问题开展专项整治。

（七）打破地区藩篱，推进区域旅游一体化

区域旅游一体化是市场经济的内在要求，是旅游产业发展的必然趋势。顺应这一规律，有利于优化旅游产业空间布局，培育新的国家旅游品牌，促进旅游产业的快速发展。要围绕国家区域发展战略，结合旅游业发展的需要，打破行政区划约束，构建一批发展潜力大、综合带动作用强、具有鲜明地域特色的旅游区域。

27. 突出抓好重点区域规划。国家旅游局将统筹编制一系列跨行政区划的大区域、次区域旅游经济带规划。2015年将配合国家三大战略，编制“一带一路”、京津冀、长江旅游经济带以及浙闽赣皖、粤港澳等旅游经济圈规划；2016年将重点编制黄河、珠江旅游经济带，东北旅游经济圈及武陵山、大别山、罗霄山、粤闽台港澳等重点旅游经济圈规划。各级旅游部门也要加强本地区旅游规划和跨行政区的重点旅游区域规划，促进区域旅游整体发展。

28. 建设一批跨行政区的重点旅游目的地。各地要重点选择资源富集、交通基础条件较好的区域，通过加强统一规划、建立区域协调机制、整合资源投入、建设统一品牌等手段，集中建设一

批重点旅游区和重点旅游线路。

29. 创新区域旅游合作机制。要充分发挥好政府在区域合作中的先导作用，破除旅游一体化发展的体制政策障碍，推进旅游公共服务的有机衔接，着力加强区域旅游资源合作开发、旅游产品和线路打造、旅游市场监管等方面的合作，实现产业布局一体化、市场营销一体化、服务体系一体化，建设真正意义上的区域旅游目的地。同时，要充分发挥市场在推进区域合作中的决定性作用，筹组建设跨行政区的区域旅游市场开发和投资建设联盟，专门负责该区域的市场开发和重点旅游项目建设。

30. 深化内地与港澳台的旅游合作。旅游交流规模大、经济互动强、文化传播广、社会影响深，在保持港澳长期繁荣稳定和促进两岸关系和平发展中发挥着独特的作用。要推进粤港澳旅游一体化，加强粤闽港澳台旅游产业互动，扩大内地与港澳台旅游交流。加快推进内地与港澳旅游服务贸易自由化。协调推动粤港澳游艇互联互通先行先试，促进澳门与横琴新区旅游业一体化发展，推动澳门和香港在“海上丝绸之路”国家旅游战略中发挥旅游支点和枢纽作用，支持澳门建设世界旅游休闲中心。启动“万名港澳台青少年赴内地游学工程”。努力扩大两岸人员往来规模，早日实现两岸人员往来 1000 万人次的目标。完善旅游合作机制，与港澳台旅游部门共同规范内地居民赴港澳台旅游市场秩序。

（八）开拓旅游外交，构建旅游对外开放新格局

“国之交在于民相亲，民相亲在于心相通。”旅游作为增进民

间交往，促进民众情感交流的重要载体，在国家外交中正在扮演着越来越重要的角色。过去由于国际旅游市场规模小，使得我们很少从大外交的角度来审视我国的入出境旅游。现在每年我国近 2.5 亿人次的入出境市场规模，已成为我们发出中国声音、讲好中国故事、加强与世界联系的重要平台，已成为新阶段我国对外交往合作的重要内容。旅游行业要在国家开放新格局中，主动作为、主动发声，服务国家整体外交、服务旅游产业发展、服务游客消费需求，努力开创旅游对外开放新局面。

31. 围绕“一带一路”战略开展国际旅游合作。按照“互联互通，旅游先通”这一总体思路，制订“丝绸之路经济带和 21 世纪海上丝绸之路”旅游合作发展战略规划，把握好规划内涵、路径和支撑体系，增强规划的操作性和有效性。要分别推动建立旅游部长联席会议机制和国际旅游联盟；整合多方资源，三年内共举办 150 多项重点合作活动。

32. 突出大国间旅游合作。深化中美旅游对话与合作，全面加强中俄旅游交流，拓展中俄红色旅游合作新领域，推进中英、中法旅游合作。巩固与周边国家旅游合作，举办中韩、中印旅游年，推进与泰国、印度尼西亚等国家的旅游合作。积极扩大与传统友好国家和发展中国家的旅游交流合作，举办中墨旅游年、中国—中东欧旅游年活动。

33. 深化与目的地国家的旅游合作。要在维护游客权益、便利签证政策、中文导游、保障游客安全等方面开辟新的工作空间。开展国际旅游友好城市结对工作，建立一套申报、筛选、结对、管理、评估的规范程序，推动国内外城市间结成国际旅游合作城市，从机制上促进旅游交流。要积极推进在驻外使馆设立旅游参赞。

34. 大力开拓入境旅游市场。入境旅游是旅游国际竞争力的核心标志，也是旅游服务贸易出口的关键领域，抓好入境旅游责无旁贷。要塑造“人文中国”旅游新形象，实施旅游整体品牌战略。今年要重点抓好国家层面30个国外参展促销和50个国内重点区域旅游推广活动。要加大推广旅游新产品，发布“国际旅游新线路、新产品推广名录”。加强对港澳台的游学品牌推广。要采取联合推广新方式，除陆上丝绸之路、海上丝绸之路推广联盟外，推动成立青藏铁路沿线、京沪高铁沿线、北部湾、大香格里拉4个推广联盟。认真组织黄河旅游推广联盟等赴海外专题推广。要高度重视港澳台基础市场的作用，做好港澳台市场的梯度开发，巩固中老年传统客源市场，开发年轻上班族新兴客源市场、培育青少年潜在客源市场。要推进出台旅游新政策，会同相关部门积极研究出台外国人入境过境旅游便利化政策、境外旅客离境退税政策以及宣传推广资金支持政策。要完善国家宣传推广体系，开展全国旅游市场推广示范工作，加强旅游驻外办事处建设，扩大数量，充实职能。

35. 深化与联合国世界旅游组织的合作。（1）推动相关国家履行中文成为联合国世界旅游组织官方语言的批准程序。（2）选派各级旅游部门的优秀干部到世界旅游组织挂职交流。（3）与世界旅游组织联合培训发展中国家旅游人才。（4）更加积极主动地参与世界旅游组织规则的制定。（5）与世界旅游组织共同推出首批10个中国国际旅游示范市，增加中国旅游业在世界舞台的话语权。

（九）深化旅游体制改革，为旅游业发展注入强劲动力

改革没有休止符。十八大和十八届三中、四中全会确定的各项改革正在深入展开。习近平总书记指出“旅游业是综合性产业”。当前许多改革都直接或间接地关乎旅游业的发展，因此，我们既不能做只谈旅游不顾其他的“井底之蛙”，也不要有“小马拉大车”的怨妇心态。我们必须看到，旅游业发展的最大机遇蕴藏在转方式、调结构之中，最大动力隐含在全面深化改革之内。实践证明，消费的大众化凸显了旅游业的经济社会地位，创新发展为旅游业的再次腾飞带来了契机，秉承人民主体的改革为旅游业发展奠定了坚实基础。因此，我们必须把改革思维、改革措施贯穿到各项工作之中，坚持综合改革与专项改革并举，体制突破和政策保障共推，发挥旅游改革对旅游发展的引领作用，为旅游业持续健康发展提供坚强的保证。为切实抓好旅游改革工作，国家旅游局刚成立旅游业改革工作领导小组，将在中央深化改革领导小组领导下，推出一系列重点改革举措。主要有以下六项：

36. 做实旅游综合改革试点。把旅游综合改革试点作为推进旅游改革的重要平台。下一步试点地区要重点围绕“三个创

新”进行改革：（1）创新旅游部门统筹职能，积极探索新常态下旅游部门协调各方、整合各类资源、促进旅游业发展的体制机制。（2）创新土地、财税、资源、金融、人才、技术等政策支撑措施，上下结合，共同推动出台有针对性的政策。今年要在推动旅游用地政策创新方面取得突破。（3）创新引导产业发展和优化行业管理的方式。适应旅游规模快速扩大、旅游矛盾日益凸显的新形势，积极探索做大做强旅游产业，规范旅游市场秩序的新举措，重点要在设立旅游产业基金、旅游企业重组、搭建旅游投融资平台、开展旅游联合执法等方面实现突破。今年将按照这一要求，对已有的试点市县进行评估，同时也会依据这一要求，扩大一批国家级旅游综合改革试点市县。各省区市也要全方位推进改革试点，形成全方位推进改革的工作局面。

37. 启动旅游景区门票价格管理改革。切实保障游客合法权益和维护旅游市场秩序，建立科学有序、公开透明、相互协调、监管有力的旅游景区门票价格管理新体制。今年上半年将在北京、天津、河北、上海、江西、海南、广西 7 个省区市开展门票价格管理改革试点，根据试点情况，形成门票价格改革方案，报经国务院批准后全面推广。

38. 推动跨境旅游合作。按照十八届三中全会“加快沿边开放步伐，允许沿边重点口岸、边境城市、经济合作区在人员往来、加工物流、旅游等方面实行特殊方式和政策”的要求，加强与发改委、公安部、外交部、商务部等部门的合作，推动与周边国家之间的跨境旅游合作，分步落实特殊的旅游方式和政策。

39. 主动参与沪粤津闽自贸区改革开放。主动参与上海、广东、天津和福建自贸区建设。从优化自身管辖范围内的旅行社、导游开放措施，推动相关部门调整和优化自贸区内的管理和政策措施，探索事中事后监管模式三个方面入手，深化自贸区框架下旅游业的改革开放。今年要重点在自贸区推动出台邮轮旅游便利化通关等相关政策。要在世界贸易组织和双边及多边自贸区框架下，依托旅游服务贸易总量不断扩大的新优势，推动国家整体对外开放。

40. 改革旅游行业协会的领导体制。按照改革的方向，旅游行政部门和旅游协会脱钩是大势所趋。但脱钩不等于不管，“放权不等于放任自流”。旅游行政部门要主动谋划，积极探索新形势下指导行业协会发展的新途径、新方式。要把行业协会监督会员作为行业管理的第一道关口，支持和鼓励行业协会强化行业自律。要建立旅游部门和行业协会的定期沟通机制，引导行业协会多了解会员在发展中的需求和面临的困难，主动听取行业协会的意见和建议，将行业协会反馈的诉求充分纳入法规和政策制定之中。对目前条件下仍然需要行政机关开展评定的事项，要转变方式，规范运作，提高实效，不宜简单转移给协会；对于协会开展的各种评定活动，要加强监督和规范，防止不负责任的“牌子满天飞”。

41. 创新促进旅游管理的有效机制。旅游市场的新格局和旅游产业的新要求与旅游部门单一、弱势的管理格局极不相称，亟须加以改进。旅游业作为综合性产业和规模日益扩大的市场，在客观上越来越要求政府提供综合协调、综合治理的体制机制。截至目前，六个省区市及一些市县率先进行旅游管理体制改革，创新旅游管理机制，设立了旅游发展委员会。实践证明，这种改革对强化和完善旅游业的统筹协调是有效、有力的，也是符合时代潮流的。为使各级领导进一步认识新常态下旅游业的地位和作用，加快旅游业的转型升级，中组部将于今年10月在国家行政学院举办各省区市主管旅游工作负责同志及国务院旅游工作部际联席会议成员单位负责同志参加的省部级旅游研讨班，主题是“新常态下的旅游业改革与发展”，同期举办省区市旅游委（局）主任（局长）研讨班。各地也可结合实际举办各种形式的研讨班，增强发展旅游业的使命感。

今年国家将继续推出一批重大改革事项，我们要审时度势，不失时机地推进旅游体制改革。要抓住市县两级“多规合一”改革，开展配套制度建设，增强市县规划的旅游功能。要抓住地方立法权下放到地市一级的机会，推动旅游公共服务的制度建设。同时，也要结合新型城镇化建设，整合政策，完善规划，提升服务，大力发展特色景观旅游名镇名村。

（十）积极主动融入互联网时代，用信息技术武装中国旅游业

“工欲善其事，必先利其器。”世界已经全面进入信息化时代，互联网、移动互联网、大数据深刻地改变着世界的面貌，同样也深刻地改变着旅游业的运行方式。“春江水暖鸭先知”，传

统旅游企业已经深切感受到信息化带来的机遇和挑战，新兴旅游企业也正在通过信息化改造传统旅游经营模式。相对于旅游产业信息化的加速发展，旅游行政部门还基本处于“刀耕火种”、靠“人海战术”进行管理的原始阶段。时代已经变了，我们不能再“因陋就简”、“抱残守缺”，守着过去陈旧的管理方式不放，而应该给我们的管理“插上信息化的翅膀”，与时俱进，主动融入信息化变革、积极运用信息化手段，全面革新管理方式，提高管理水平。

42. 建立中国旅游服务门户。以国家智慧旅游公共服务平台（12301.cn）为载体，将其建成集旅游公共信息服务、文明旅游倡导、旅游企业监管、旅游市场秩序整治、旅游投诉、《全国旅游不文明记录》、《旅游企业诚信记录》、旅游目的地警示、旅游国际合作与交流、港澳台旅游合作与交流等于一体的中国旅游服务门户和综合管理平台。今年5月1日试运行部分功能，10月份全面运行。国家旅游局协调网络企业建立全国旅游的大数据集成及应用平台。鼓励各地创新推进智慧旅游，逐步纳入全国网络。

43. 发行“中国旅游卡”。我们将与农业银行联合发行“中国旅游卡”，推动金融机构推出涵盖旅游各领域的特色支付产品。通过整合全国及境外旅游消费资源，为持卡人提供景区购票折扣、网上和电话预订优惠以及酒店、保险、购物等各类专属优惠和服务。鼓励各地先行先试，积极整合旅游卡，最终实现全国旅游“一卡通”。

44. 支持旅游企业信息化建设。进一步发挥旅游市场主体在信息化建设上的主体作用。推广携程等公司的经验，鼓励网络旅游企业发展，鼓励网络旅游企业与传统旅游企业融合，改造旅游经营模式；鼓励传统旅游企业加强信息化建设，全面提升经营效率和管理水平。

45. 综合提升旅游市场推广信息化水平。对中国旅游海外推广网站进行升级。加大海外参展促销的线上推广，加强自媒体智能终端的 APP 开发及推广。对“中国海外旅游推广网站”进行技术升级、内容拓展，新推韩语、日语两个版本。加快电子宣传品的制作和更新，做好电子版导游图、电子版宣传手册。

“求木之长者，必固其根本。”为了做好上述各项工作，我们还必须加强基础建设，为旅游业发展提供有力支撑。

46. 加强旅游法规和标准化建设。认真贯彻落实《旅游法》和《关于依法兴旅、依法治旅的意见》，加快推动《出境旅游条例》的修订，加快与《旅游法》配套的制度建设。各地旅游部门也要积极推动本地区旅游条例的修订，抓紧推动制定《旅游法》授权地方的法律文本。开展第三批旅游标准化试点工作，健全旅游标准体系，加强标准化政策研究。

47. 构建新型旅游智库。要坚持“五湖四海”、各尽其才的原则，整合各方面的智力资源，加强旅游业基础研究工作。成立中国旅游学会和中国旅游智库，并逐步构建旅游智库群，推动在全国旅游行业形成研究旅游的良好氛围，为旅游业发展提供理论支撑。各级旅游部门也要针对各自发展的实际，加强研究，把更多研究成果转化为工作举措。

48. 提升旅游业创新能力。建设国家产业科技创新工程中心，组织旅游创新创意创业大赛，支持设立多种形式的中国旅游创新创意创业基金，推动建设旅游科技创新孵化园，将工程中心建成国家级科技创新工程中心。

49. 彻底结束没有旅游数据总量分析的历史。要“两条腿走路”，会同统计局做好常规旅游统计工作，开展旅游业增加值核算，全面反映旅游业在国民经济中的地位。同时，会同国家信息中心开展“中国旅游业综合调查测算与运行监测评价”，建立旅游经济运行动态监测机制。

50. 强化对旅游舆论的引导。要充分发挥引导新闻媒体舆论方面的主观能动作用，为旅游产业健康发展和旅游市场的稳定繁荣创造良好的社会氛围。构建旅游新闻发布、政务网站、新媒体“三位一体”信息公开平台，积极发挥旅游部门官方网站、官方微博和《中国旅游报》的主渠道作用。统筹发挥传统媒体和网络新媒体作用，探索搭建专业旅游电视平台。进一步加强政务公开和信息报送，提高新闻宣传工作行政效能，提升中国旅游业整体形象。

51. 加强旅游人才队伍建设。人才是旅游事业的根本所在，建设一支高素质人才队伍是旅游工作的当务之急。要编制全国旅游人才中长期发展规划。继续实施旅游业青年专家的遴选与培养，开展旅游行业重点人才培训。在全国范围内扶持一批旅游院校的旅游专业。推动旅游职业教育改革与发展。实施“国家万名旅游英才计划”，鼓励企业和个人冠名，在普通院校和职业院校设置奖学金，奖励品学兼优且有志于旅游事业的学生。启动全国旅游系统先进集体、劳动模范和先进工作者评选表彰工作。

52. 改进旅游管理体制。不断完善横向协调机制——国务院旅游工作部际联席会议，充分发挥各成员单位的积极性。同时，优化纵向联动体系：国家旅游局——地方旅游委（局）。（1）国家旅游局建立征求地方旅游委（局）意见和建议的机制，每年评选优秀建议奖。（2）国家旅游局与地方旅游委（局）联动，如编制跨行政区域的旅游规划，组建跨行政区域的旅游协调机制和旅游推广同盟等。（3）国家旅游局将试行对地方旅游委（局）重点业务工作进行评估，重在弘扬先进。

同志们，我们的目标越宏伟、任务越艰巨，就越要抓好党风廉政建设。我们要在思想上、政治上、行动上同以习近平同志为总书记的党中央保持高度一致，认真落实党风廉政建设主体责任，在贯彻中央八项规定，深化“四风”整治，巩固和拓展党的群众路线教育实践活动成果，加强党风廉政建设等方面取得新成效，形成风清气正、廉洁自律、诚实守信、健康文明的旅游行风。

同志们，党中央、国务院的殷切期望和人民群众的热切期待催人奋进。我国旅游业正迎来前所未有的发展机遇，同时也面临多方面的严峻挑战。精诚所至、金石为开。我们要勇于肩负起时代的使命，紧密团结在以习近平同志为总书记的党中央周围，奋力开辟新常态下中国旅游业发展的新天地，为实现“两个一百年”的宏伟目标和中华民族伟大复兴的中国梦奉献我们中国旅游人的心血、智慧、汗水！

第二篇

部分省区市领导讲话

牢牢把握首都城市战略定位 努力提升北京旅游国际化水平

（2015年1月16日）

北京市人民政府副市长　程　红

刚刚过去的2014年，是国家发展进程中极不平凡的一年，是国家旅游业发展历史上具有深刻影响的一年。立足北京看全国旅游工作，有许多令人难忘、让人点赞的特色亮点，我们感受深刻的有六件事：一是全国人大组成3个执法检查组，分别由3位副委员长带队赴全国开展执法检查，有力地促进了《旅游法》的贯彻落实。二是国务院出台了《关于促进旅游业改革发展的若干意见》，提出了一系列新观点、新政策、新举措，成为新时期推进旅游业改革发展的纲领性文件。三是全国旅游综合改革试点工作取得阶段性成果，在体制机制创新、产业政策完善等方面，探索了许多行之有效的经验做法。四是围绕“美丽中国”旅游整体形象品牌，统筹设计中国旅游主题年，“2014 智慧旅游年”推进了信息技术在旅游行业和产业链的深度开发与运用。五是中国内地公民 2014 年出境旅游首次突破 1 亿人次，成为中国旅游业发展史上一个具有标志性意义的大事。六是国家旅游局的工作指导更加深入、更接地气，特别是 MH370 航班失联、亚航航班两名游客不文明行为等事件发生后，反应快速、应对有力。其实，可圈可点的工作还有很多，我这里是挂一漏万。

一、北京市政府对加快发展旅游业的共识

2014 年 2 月 26 日，习近平总书记来北京调研之后发表重要讲话，明确了北京是全国政治中心、文化中心、国际交往中心、科技创新中心和建设国际一流的和谐宜居之都的城市战略定位，这在北京发展史册上具有重要里程碑意义，是做好新时期首都各项工作必须把握的根本方向。北京市政府围绕深刻领会总书记重要讲话精神，结合对党的十八届三中、四中全会和中央经济工作会议精神，以及《旅游法》《国务院关于促进旅游业改革发展的若干意见》的学习理解，深刻感到，党中央、国务院高度重视旅游工作，发展旅游业已经成为推动经济社会发展的国家战略；一致认为，北京加快发展旅游业得天时、有地利、享人和，要与首都城市战略定位相适应、相一致、相协调。具体来讲，达成了以下四点共识：

第一，旅游业是符合首都城市战略定位的功能性产业。世界上绝大多数的首都城市，本身就是这个国家的政治中心、文化中心和国际交往中心，天然注定了旅游的重要功能。北京是世界著名古都，有着3000多年建城史和860多年建都史，蕴含着丰富的历史文化遗产和深厚的历史文化底蕴，是中华文明的一张“金名片”，对海内外游客具有极强的吸引力，对文化中心和国际交往中心的城市功能起到明显的促进和支撑作用。

第二，旅游业是推动新常态时期首都经济转型升级的综合性产业。通过综合运用多种手段，首都经济结构调整出现积极变化，但科技文化资源优势尚未充分发挥，传统产业正在经历调整过程，新兴产业短期内难以有效支撑和接续。旅游业关联性强、产业链长、带动力大，恰好是推动首都经济结构升级的一个重要着力点，积极促进旅游业与其他产业的融合，利于带动文化创意、商贸物流、餐饮娱乐、教育科技等服务业全面发展，利于优化三次产业结构，形成一批产业融合新业态、新产品、新模式。

第三，旅游业是保障和改善民生的现代服务业。截至2013年年底，北京常住人口已经突破2114万人。北京不再发展一般的制造业和工业，农业占GDP的比重也不足1%，众多的剩余劳动力做什么？实践表明，解决就业和再就业问题，主要潜力还在第三产业，作为现代服务业的龙头和支柱，旅游业具有就业机会多、就业容量大、就业方式灵活的优势。2014年，北京市旅游直接从业人员36.2万人，间接从业人员达170多万人，为全市安置就业和解决再就业提供了较大空间。

第四，旅游业是展示国家形象和首都风貌的窗口行业。旅游是城市的名片和硬实力，随着旅游业的发展，它对城市发展的方方面面产生着重要影响。北京作为首都，是我们伟大祖国的象征和形象，是向全世界展示中国的重要窗口，一举一动都呈现在"聚光灯"和"放大镜"下。我们常讲，海外游客来到北京看北京，通过北京看中国。只有按照首善的、一流的标准推动首都旅游各项工作，才能逐步使首都旅游业发展与建设国际一流的旅游城市目标相符合，与建设国际一流的和谐宜居之都要求相适应。

伴随国家旅游业发展和改革的脚步，北京旅游业紧紧围绕国家旅游局的决策部署和北京市的工作大局，改革创新，转型升级，取得了可喜的成绩。主要成效可以用"五新"来概括：一是主要指标实现新增长。预计 2014 年接待旅游总人数 2.68 亿人次，比上年增长 6.4%；实现旅游总收入 4295 亿元，比上年增长 8.3%。二是深化改革有了新进展。取消和下放多项行政审批事项，撬动市场力量和资源，建立了 4 个涉旅投融资平台，推进了 10 个旅游大项目和综合体建设。三是转型升级呈现新气象。旅游收入的增速比旅游接待规模的增速高了近 2 个百分点，旅游经济增长的结构和质量正在发生积极变化。四是交流合作取得新成效。成功举办了 2014 北京香山旅游峰会，与哥本哈根、布鲁塞尔等 20 多个国际城市和旅游组织签署了多项旅游合作协议，京津冀旅游协同发展有了良好开端。五是服务能力得到新提升。高标准完成了 APEC 会议、马航失联事件和冬奥会申办的相关工作，不仅提高了服务保障能力，更收获了一笔弥足珍贵、终生难忘的宝贵财富。

二、北京旅游业发展的阶段性特征

我们感到，弄清北京旅游业所处的发展阶段，是提升国际化水平需要认真对待和回答的问题。虽然经过多年的努力，北京旅游业发展取得了较大成就，但与首都城市功能定位要求相比，与发达的国际旅游城市相比，与国内外日益增长的旅游需求相比，还有许多工作要做。主要有四个特征：

一是旅游收入增长主要依靠旅游接待规模的增长实现。北京接待旅游人数2013年超过2.5亿人次，2014年超过2.6亿人次，平均每天约71万人次。北京常住人口超过2100万，再加上71万的旅游人口和70万左右来自全国的就医、看病及流动人口，每天聚集在北京特别是中心区的人数在2250万左右，城市运行承载和资源环境压力巨大。为适应首都加快人口调控和资源环境压力的调减形势，北京旅游业将走适度控制旅游人次过快增长而大力提高人均旅游消费的发展模式。

二是旅游资源和产品供给的优势没有得到充分体现。北京传统文化与现代文明交相辉映，旅游资源得天独厚。特别是7处世界级的文化遗产和奥运会、APEC留下的遗产，都是北京独一无二的优势资源。虽说近年来也在积极开发和转化，但多数属于中低端的旅游产品，缺乏高档次、高品质、高附加值的旅游产品和旅游商品。国内外游客日益增长的高品位旅游需求，要求我们进一步挖掘首都的历史文化资源，推出一批具有北京特点和中华民族特色的旅游产品。

三是旅游消费理念和旅游市场秩序不够成熟。北京作为首都和国际化大都市，不缺知名度，尤其是通过举办一系列国际化、高规格的重大活动，国际影响力和吸引力进一步增强。北京旅游人来人往、热闹有余，但消费潜力释放不够，境外游客和外地来京游客每人每天的平均消费仅为 243 美元和 442 元，而且多是食宿、门票、交通等刚性消费。受人口、交通、环境等“城市病”和非法“一日游”乱象的影响，北京旅游的美誉度和满意度还不够高。

四是旅游行业和旅游产业的国际竞争力亟须提升。北京现有 A 级旅游景区 219 个，星级饭店 580 家，旅行社 1492 家，有导游证的人员 37884 人，乡村旅游接待户 1.6 万户，行业总量较大，位居全国前列。但随着各国和各地对发展旅游业的重视程度越来越高，国内外对旅游资源及客源的争夺愈演愈烈，面临的外部竞争压力加大，只有主动适应新形势新常态，做强做大北京旅游的国际品牌，才能抢得先机、赢得未来。

三、2015 年和今后一个时期的工作重点

我们深知，建设国际一流旅游城市和国际一流的和谐宜居之

都，是首都人民的心愿，是中央和全国人民的期望，任务光荣而艰巨。当前，世界各大国、主要经济体和知名旅游城市都从战略层面来定位和谋划旅游业发展，迎来了新一轮重要发展机遇期。我们将抓住机遇，加快发展北京旅游业，大力提升国际化水平。2015 年和今后一段时期重点做好六个方面工作：

一是积极融入国际旅游发展大局。提升北京旅游的国际化水平，需要跳出北京、放眼全球、融入国际。我们将牢牢把握世界旅游业发展趋势和走向，借鉴世界旅游城市发展经验，完善与国际旅游市场相适应的旅游市场规则和服务标准体系。强化和发挥旅游规划的引领和先导作用，科学编制《北京市旅游业“十三五”规划》，研究出台与之相配套的旅游规划落地机制和评价标准。

二是进一步加大市场化改革力度。在全球一体化和改革新常态的大背景下，加大旅游业市场化改革力度势不可挡。我们将出台实施《北京市关于促进旅游业改革发展的实施意见》，鼓励旅游企业采取资源整合、资产重组、收购兼并等方式做大做强。引导有实力的社会资本参与旅游大项目开发建设。引入市场化手段，推进旅游饭店、旅游景区、旅行社、旅游交通等相关行业的经营管理与国际接轨。

三是大力提升北京旅游品牌的国际影响力。国际影响力和辐射力，是衡量世界一流旅游城市的重要标志。我们将实施全球营销战略，努力形成覆盖主要客源国的营销网络，立体化宣传北京旅游。积极申办 2022 年冬奥会，认真筹办北京国际旅游博览会、北京国际旅游节和2016年世界月季大会、2019年世界园艺博览会、2020年世界休闲大会等具有全球影响力的各类品牌活动。

四是重点推出一批高品质的特色旅游产品。文化是旅游之魂，特色是旅游之要。北京的资源禀赋一流，品种丰富、品质高端、品位高雅。我们将坚持休闲度假旅游与观光旅游同步发展，着力打造古都风貌、文化演艺、科教展示、休闲体验等旅游产品体系，深度挖掘“北京故事”，大力拓展“北京人家”，不断丰富“北京美食”，精心开发“北京礼物”，力求让世界各国的游客乘兴而来、满意而归。

五是不断加强国际交流与合作。开展国际交流与合作，是促进北京旅游国际化进程、加速北京自身发展的必然途径。我们将充分利用世界旅游城市联合会这一平台机制，加强信息交流互动共享，开展城市旅游战略问题研究，推动出台简化通关手续、强化互联互通等更多的旅游便利化措施。加强商业保险、紧急救援等方面的探索与合作，尽力保障跨国和跨地区游客的人身和财产安全。

六是全面优化首都城市的宜居宜游环境。既重视集约化建设抓好硬环境，又强化精细化管理抓好软实力。我们将下功夫破解功能疏解、人口调控、交通拥堵、大气污染等治理难题。加快推进北京新机场、环球影城等重大功能性项目建设。推动智慧城市建设，提高公共服务的水平和效率。持续改善生态环境，推进休闲公园和美丽乡村建设。全面推进法治北京、依法治旅和诚信体系建设，切实维护游客的合法权益。着力保障和改善民生，保持社会和谐稳定。

把北京这座现代化的国际大都市打造成为国际一流的和谐宜居城市，把北京这个首善之区建设成为国内外游客的首选之地，我们使命光荣、责无旁贷。同时，我们也清醒地看到，解决好北京发展难题、实现更高水平的发展，离不开中央国家机关的指导和兄弟省市的支持。借此机会，我代表北京市政府，对长期以来中央国家机关对北京市工作的关心指导，兄弟省市单位对北京市工作的支持帮助，表示衷心的感谢！更期待在今后的工作中，一如既往地关注、支持、帮助北京。

努力推动江西旅游强省建设迈上新台阶

（2015 年 1 月 16 日）

江西省人民政府副省长　朱　虹

江西山清水秀，民风淳朴，物华天宝，人杰地灵，旅游资源极为丰富。一代伟人毛泽东曾感叹：“踏遍青山人未老，风景这边独好”。为进一步放大旅游资源优势，推动江西绿色崛起，省委、省政府于 2013 年 10 月做出了实施“旅游强省”战略的重大决策，提出“像抓工业化城镇化那样抓旅游”。旅游强省战略实施一年来，江西旅游业发展迅猛，已经成为全省经济社会发展中一道亮丽的风景。2014 年江西接待游客突破 3 亿人次，旅游总收入 2650 亿元，分别同比增长 25% 和 39%。一年来，我们主要做了以下工作：

一、高位推动，把旅游业放在优先发展的位置

江西把旅游业确定为绿色崛起的重要支柱产业，摆在突出的位置，高度重视，高位推动，大力推进旅游业跨越发展。

省委、省政府高位推动。强卫书记和鹿心社省长多次专题听取旅游发展汇报，专题调研各地旅游工作，就加快发展旅游业做出了一系列重要指示，并亲自为江西旅游进行宣传推介。省委、省政府出台《关于推进旅游强省建设的意见》，从土地利用政策、金融财政扶持、税费优惠政策、消费鼓励政策等方面促进旅游业发展，组织召开全省旅游产业发展大会，开展全省旅游强省建设督查，把旅游业纳入全省四大产业集群板块，这些重大举措为旅游业发展注入强劲动力。

各地积极响应。各地纷纷建立了以主要领导挂帅的工作领导小组，召开旅游发展大会或工作推进会，出台加快旅游业发展的政策性文件，安排旅游发展专项资金，用于旅游形象宣传和旅游发展奖励，有的市还建立差异化考核机制，把旅游工作列入县（市、区）综合目标考评，全省旅游发展氛围空前浓厚。

社会踊跃参与。鼓励民间资本依法开发、利用各类旅游资源，支持民间资本组建经营管理企业，支持民间资本投资旅游服务业。在政府的利好政策刺激下，社会资本踊跃进入旅游业，使

全省旅游业态向山、水、村、城多元迸发，呈现“百花齐放、百景争艳”的良好态势。

二、深化改革，不断增强旅游业发展活力

江西积极探索旅游综合改革，着力破解制约发展的突出问题，为旅游业发展注入新的动力。

改革行政管理体制。旅游产业属性决定了旅游管理机构改革不是立足于划清部门职责和边界，而是强化产业发展的综合协调职能。我们把建立涉旅部门协调配合机制作为政府转变职能的主要抓手，将省旅游局“升格”为省旅游发展委员会，纳入省政府组成部门，赋予其战略规划、产业政策、综合协调、市场培育、公共服务、行业监管等方面职能，建立省发改、财政、交通运输、国土资源、住房城乡建设、文化等 6 个部门分管领导兼任省旅游发展委员会委员制度，参与旅游管理工作，实现旅游管理机构由传统的行业指导到综合协调、公共服务、监督管理等职能的转变。我们还明确了各级党委、政府是旅游强省建设的责任主体，党政一把手是第一责任人，省直涉旅部门是重要责任单位，使江西旅游业由原先行业主抓上升到各级党委、政府统领发展的高度。九江、上饶、景德镇、吉安、南昌、萍乡、宜春、鹰潭、抚州等 9 个设区市已组建市旅游发展委员会，旅游综合协调职能

得到进一步强化。

建立工作运行机制。建立了全省旅游发展大会申办制度，将旅游发展大会办成旅游产业你追我赶、竞相发展的“拉练”平台。建立旅游项目调度机制，把旅游项目列入全省重点项目调度会，打造一批标杆旅游项目。建立旅游强省督查制度，由省政府牵头，每年开展旅游强省中期督查、年终巡查，巡查与旅游发展大会相结合，以督查找问题，巡查看变化，大会展成果，三者联动推进旅游强省建设。建立健全重大问题协调机制、游客满意评价机制、产业运行调度机制等一系列工作机制，强力推进旅游业快速发展。

释放市场发展活力。正确处理政府与市场的关系，探索市场运营机制，使市场在资源配置中起决定性作用。积极推进旅游企业改革，组建成立省旅游集团。推动国有旅游景区所有权、管理权、经营权分离，引入国际、国内大型企业从事旅游项目开发管理。用行政的手段和市场的机制相结合，解决庐山、武功山等体制机制难题，开展武功山金顶整治和大景区建设。鼓励有条件、有实力的集团公司，打破行政制约，通过投资、并购、重组、合作等方式，进行跨区域、跨行业的经营，打造一批具有影响力的旅游集团。同时，加快政府职能转变，进一步简政放权，将省级旅游部门现有审批权限下放，行政审批事项全面公开，真正让“看得见的手”更有力，让“看不见的手”更有效。

推进产业集群发展。把旅游和工业、农业、物流上升为全省四大产业集群板块，在全省规划建设35个旅游重点产业集群，用集群的思维和方式发展旅游业。编制了《江西省旅游重点产业集群发展规划》，明确了产业集群工作“八个一”管理制度，着力培育具有全国影响力的旅游产业集群品牌。大力推进景德镇、鹰潭、婺源等有条件的地方创建旅游产业园区，探索以创建旅游产业园区为核心的旅游新业态，使其成为开拓旅游市场的新动力，成为旅游强省建设的有效支撑。

加强旅游区域合作。积极对接长江中游城市群、长三角、珠三角、海西经济区、长株潭等旅游圈，融入“一带一路”建设，推进跨省区域旅游合作。加快昌九旅游一体化、昌抚旅游合作示范区、赣南等原中央苏区旅游扶贫试验区、赣东北旅游联盟、赣西旅游联盟建设，推动区域旅游整合，实现产品互推、客源互送等良性互动。构建大庐山、大井冈山、大三清山、大武功山，打造区域旅游目的地。

三、创新举措，加快推进旅游强省建设步伐

我们牢固树立科学旅游观，不断转变发展理念，创新发展举措，优化发展环境，努力推动旅游业健康快速发展。

推进项目建设。各大景区按照更高的标准，推进旅游公厕、停车场、游客中心、环卫、水电管网等基础设施建设，基础配套和公共服务体系进一步健全。智慧旅游项目建设有效实施，重点

景区基本实施无线网络全覆盖。实施了两轮旅游公路建设规划，新建、改建了一批旅游公路，杭长高铁全面开通，“水、陆、空”立体交通网络基本形成。在强化基础配套的同时，狠抓景区创建。瑞金“共和国摇篮”景区、明月山、大觉山等一批高品质景区正在积极创建国家5A级旅游景区，成为江西旅游业新的增长点。婺源、井冈山获“国家级生态旅游示范区”称号。

开展宣传营销。在全国首创推出“江西风景独好”旅游特卖会全新营销模式，组织全省各地及旅游景区、旅行社在北京、福州、厦门、上海、西安等60多个城市举办江西旅游系列特卖活动，让利热卖我省旅游线路和旅游产品，实现了从形象推广到产品营销的转变。组织开展“全国主流媒体走赣鄱”、“全国网络媒体江西行”、“全国交通广播记者走进江西”、“2014外媒看江西”等大型采访报道活动，将江西的旅游产品宣传推介出去。在第17届海峡两岸旅行业联谊会、第三届世界旅游经济论坛、第三届世界低碳生态经济大会、第三届国际道教论坛等重要平台充分展示了“江西风景独好”的魅力。积极对接途经江西境内的沪昆高铁开通，推出高铁旅游产品，冠名“江西旅游号”，开展高铁旅游营销，着力打造有市场影响力的“高铁旅游带”。

优化发展环境。把游客是否满意作为旅游工作的最高评价标准，把“游客为本，服务至诚”的核心理念做细、做实，让每位游客都觉得不虚此行。一是加强市场秩序整治。坚持依法兴旅、依法治旅，建立旅游市场综合治理长效机制，开展旅游市场秩序整治活动，坚决查处旅行社、导游和领队违法违规行为，有效规范市场秩序，提高游客满意度。实施景区、景点门票价格五年内不涨价政策，逐步实行低票价。二是扩大旅游标准要素全覆盖、业态全覆盖、服务全覆盖和地域全覆盖，构建以景区建设、旅游企业及从业人员为基本内容的标准化体系，提升旅游服务质量。三是加强旅游人才队伍建设。在全国首创了政府、高校、行业、企业协同培养旅游人才新模式，与江西师范大学、江西科技师范大学联合开办了“金牌讲解班”，举办旅游强省建设高级研讨班，统筹行政管理、企业经营、产业服务三支旅游人才队伍建设。

江西旅游业已步入转型发展的攻坚期、改革红利的释放期、政策机遇的叠加期、基础完善的发力期、品牌效应的彰显期。我们将以此次会议为契机，积极学习借鉴兄弟省市的好经验、好做法，进一步深化旅游改革，深入推进旅游强省建设，促进旅游业的转型升级，努力把旅游业打造成为江西最大的特色、最大的优势、最大的亮点，成为绿色崛起的第一窗口、第一名片、第一品牌。

改革创新　为旅游业跨越发展注入强劲动力

（2015 年 1 月 16 日）

广西壮族自治区副主席　蓝天立

广西集生态、文化、民族、临海、沿边等旅游资源于一身，享有“遍行天下，心仪广西”的美誉。在国家旅游局的指导和支持帮助下，广西的旅游业得到了长足发展。全区旅游总收入从 2011 年的 1000 亿元增加到 2014 年的 2600 亿元；旅游接待总人次从 2011 年的 1.76 亿人次增长到 2014 年的 2.9 亿人次。我们主要抓三个方面的工作。

一、提升定位，形成共识，实施旅游业跨越发展战略

广西壮族自治区新一届党委政府根据广西发展面临的新形

势，把旅游业摆在了前所未有的高度。彭清华书记、陈武主席到任半年内就决定召开旅游发展大会（是本届党委政府第一个产业大会），会上两位领导亲自做动员部署。还出台了《加快旅游业跨越发展的决定》和《若干政策》，提出了“一个旅游龙头、两条旅游发展带、三大国际旅游目的地、四大旅游集散地和一批旅游名县、名镇、名村”的旅游产业发展格局，形成了一系列专项工作方案，推出了一批重大项目。彭书记 11 次对旅游工作做出重要批示指示；经常深入市县调研指导旅游工作；亲自到香港、澳门推介广西旅游；亲自组织召开全区特色旅游名县创建工作推进现场会并做重要讲话，会前亲自组织研定支持政策。他要求“要把广西建设成为生态优美、特色突出、令人向往的大旅游区”，并亲自部署推动“美丽广西 · 乡村建设”工作。陈武主席多次召开常务会、现场会，亲自指导和协调解决旅游规划、项目、政策、资金等问题，大幅增加旅游发展专项资金额度，从 2012 年的 1.2 亿元到 2014 年的 5 亿元、2015 年增加到 6 亿元。全区各市、县设立旅游发展专项资金共 13 亿元，其中市级 4 亿元，县级 9 亿元，设立旅游发展专项资金最多的市达 1 亿元，最多的县达 8000 万元。全区上下真正把旅游业作为国民经济新的支柱产业和现代服务业，作为参与实施“一带一路”战略和区域开放合作的先导产业，作为结构调整重点支持的战略性新兴产业，作为新常态下的朝阳产业、优势产业。

二、改革创新体制机制，促进旅游业转型升级

我们成立旅游产业发展指导委员会。主要领导亲自担任委员会主任，统筹协调、部署推进旅游业跨越发展重大问题和重大工作。还成立厅际联席会议制度。在2013年的机构改革中我们组建自治区旅游发展委员会，新增了统筹协调旅游相关行业和部门的旅游管理职能，是这次机构改革中全区唯一升格并进入政府组成部门的单位。全区14个设区市已有12个成立旅游发展委员会，部分重点旅游县也成立了旅游发展委员会。全区还建立了旅游综合执法平台。

我们整合组建大型旅游集团。将广西城建投资集团和广西旅游投资集团重组成总资产150多亿元的广西旅游发展集团，直接参与重大旅游项目和基础设施的投融资和建设经营。2014年已开工总投资68亿元的10多个重大旅游项目。

我们建立自治区领导联系重大旅游项目机制。2013年筛选了28个、2014年筛选了41个重大旅游项目，列入自治区层面统筹推进重大项目，每个项目有自治区四家班子领导联系，有牵头责任单位和配合单位。保证项目用地指标，优先解决审批、资金等问题。我们还建立重点旅游项目协调推进工作机制。每季度政府召开厅际联席会议，协调解决项目实施推进中的问题。2014年，重大旅游项目完成投资129.41亿元。

我们建立特色旅游名县创建工作机制。计划用5年时间（2013～2017年），在全区创建一批特色旅游名县。20个创建县都有省级领导和区直部门挂钩联系。自治区对各创建县每年安排专项资金支持，在林地使用、海域使用、项目用地等方面给予保障。优先安排、重点支持交通运输、环境保护、水利等重大基础设施建设项目。国家和自治区与旅游相关的产业结构调整、新农村建设、新型城镇化、城乡风貌改造、农村环境综合整治等改革措施在创建县先行先试。对关键性旅游项目实施财政贴息贷款扶持，优先安排创建县的人才培训，优先将特色旅游产品纳入全区的精品旅游线路和重点营销计划。自治区每年组织专家对各创建县的创建工作进行考核评价，自治区党委组织部、绩效办将创建工作列为领导班子考核的重要内容，对于以旅游为主业的创建县，调整旅游发展在绩效考核中的权重。对经过考核验收达标的，自治区政府授予“广西特色旅游名县”称号，给予奖励并继续享受创建扶持政策。创建县实行动态管理机制，达标“毕业”后空出名额，从13个备选县中考核遴选产生递补。达标县和创建县都不搞“终身制”，达标县每两年复核一次，复核不合格的，对其提出整改要求，整改还达不到要求的，将取消特色旅游名县称号。对创建县每年进行一次考核，对于工作推进不力、成效不好的，限期1年整改，整改后仍无明显进步的，从创建县名单中退除。到2014年年底，有阳朔等3个县市通过评定验收。2014年，全区20个创建县在建投资额超亿元的旅游项目45个，总投资193亿元，全年接待游客量超过7200万人次，增长19%；旅游总收入超过 560 亿元，增长 29%。

我们不断完善旅游开放合作机制。我们把旅游作为参与中国—东盟开放合作、泛北部湾区域合作的重要载体。在桂林每年举办世界旅游趋势与展望国际论坛、大湄公河次区域旅游人才培训；在国家旅游局的大力支持下，从 2015 年起，每年 5 月，将举办中国桂林国际旅游博览会暨中国—东盟博览会旅游展，欢迎各位同行届时莅临参加。我们努力打造跨国自驾游和海上跨国游等旅游新项目，建设中越德天—板约瀑布国际旅游合作区。加强与东盟、我国港澳台等境外旅游机构在旅游会展、市场营销、行业监管等方面的合作，并在泰国、越南等国家和台北设立广西旅游咨询推广中心。2014 年，预计全区入境过夜游客约 421 万人次，同比增长约 7.5%；国际旅游（外汇）收入约 17.3 亿美元，同比增长约 11.7%。

三、加强要素支撑，推动旅游产业持续健康发展

在投融资方面，我们通过多种方式引导金融机构加大对旅游企业的信贷支持，2014 年重大旅游项目新增贷款 27 亿元，各金融机构、银行贷款支持旅游授信额共 490 亿元。安排重大旅游项目贷款贴息资金 4700 万元。支持创新适合旅游业的信贷产品和

贷款担保方式，对不同类型的旅游项目采用有针对性的信贷产品和相应的抵、质押担保方式。2014 年，全区全社会完成旅游投资约 1300 亿元，同比增长 8.34%。

在土地方面，我们落实优先保障桂林国际旅游胜地、北部湾国际旅游度假区、巴马长寿养生国际旅游区重大旅游项目用地需求，重点保障列入自治区统筹推进重大项目的旅游项目用地。各级政府对重点旅游项目用地优先列入年度用地计划，统筹分类予以支持。2014 年，下发了《做好重大旅游项目推进服务保障工作的通知》，对符合产业政策和相关规划、土地使用条件的旅游项目，优先安排年度用地计划指标；相关单位对符合条件的重大旅游项目开辟审批绿色通道，各市县提前为重大旅游项目储备用地指标。

在人才方面，重点支持高等院校旅游学科建设，积极推进桂林旅游高等专科学校“专升本”工作，加强与高等院校、科研单位和相关方面联系与合作，培养更多的优秀旅游专业管理人才和旅游职业经理人。建立广西旅游人才小高地，加快建设中国—东盟旅游教育培训基地。鼓励旅游企业、高等院校引进国内外旅游高端策划、经营管理等领军人才。完善广西旅游研究机构设置，充分发挥专业智库作用。

在国家旅游局的指导和帮助下，我们在旅游业改革发展方面做了一些探索，取得了一定的成效，但与兄弟省区市相比还有很大差距。我们将全面贯彻这次会议精神，进一步提高认识、完善思路、明确目标、强化措施，像抓改革开放机遇一样抓住旅游业发展的历史机遇，和各位同行一起努力开辟新常态下旅游业发展的新天地。

融合发展改革创新
努力建设旅游强省

（2015年1月16日）

云南省人民政府资政　刘　平

云南地处祖国西南边疆，具有丰富的多样性的旅游资源。其中包括秀丽的自然风光、多姿多彩的民族风情、宜人的气候类型和独具特色的异国风情，为云南旅游产业的发展奠定了坚实基础。改革开放以来，历届云南省委、省政府高度重视旅游产业发展。云南旅游业依托丰富独特的旅游资源优势，走出了一条符合云南实际、彰显云南特色的发展道路，经历了从"事业接待型"到"经济产业型"，到"支柱产业型"，到"二次创业"的发展历程。党的十八大以来，云南省认真贯彻落实习近平总书记关于旅游业发展的系列重要讲话精神以及党中央、国务院和国家旅游局关于旅游工作的重大决策部署和安排要求，加快旅游产业改革发展，推动云南旅游业进入以实施融合发展战略为主要标志的旅游强省建设新阶段。

通过多年的培育和发展，云南旅游已建成集吃、住、行、游、购、娱为一体的比较完备的产业体系，全省旅游基础设施不断完善、产品结构渐趋合理、管理服务水平明显提高、产业地位日益提升、带动作用明显增强，旅游业已经成为云南最具特色、最有贡献的支柱产业之一。截至2014年年底，全省共有景区景点600多个，其中国家A级以上旅游景区214个（5A级6个、4A级65个）；旅游住宿设施14000多家，其中星级酒店826家（五星级19家、四星级83家）、客房总数6.66万多间；旅行社781家，其中出境游旅行社42家；旅游汽车公司79家，车辆4950辆；全省旅游产业直接就业人数72万，间接就业人数360万。2014年，全省累计接待海内外旅游者2.85亿人次，同比增长16.3%，其中海外旅游者525万人次，同比下降1.6%；国内旅游者2.8亿人次，同比增长17%。全省实现旅游业总收入2650亿元，同比增长26%。据初步统计，2014年全省旅游对交通运输业、住宿业、餐饮业、娱乐业、商品零售业的贡献分别达523.38亿元、470.64亿元、395.38亿元、154.23亿元、551.73亿元，游览花费达346.36亿元。

一、实施旅游融合发展战略，努力建设旅游强省

云南省建设旅游强省的目标是：到2020年，云南旅游产业

形成包括农业、工业和相关服务业在内的大旅游产业体系，实现旅游产业增加值达到 1 万亿元以上的目标，成为全省 5 个万亿元大产业之一，为全省经济社会发展做出更大的贡献。

建设旅游强省的主要方法是实施融合发展战略。2013 年 9 月，云南省委、省政府出台了《关于建设旅游强省的意见》，明确提出实施旅游融合发展战略，要求抓好“五个融合”。一是旅游与城镇建设融合发展。充分发挥旅游对城市环境、城市功能的提升作用，使旅游发展与城市发展功能互补、互为支撑，实现城市围绕景点进行开发，景点依托城市深化发展，打造一批环境优美、景色宜人、特色突出、功能完善的宜居、宜赏、宜游、宜商的特色旅游城市、县城、街区以及旅游型城市综合体。二是旅游与文化建设融合发展。发挥文化是旅游的灵魂、旅游是文化的载体的良性互动作用，通过挖掘云南丰富的历史和民族文化资源，规划和建设一批文化旅游精品景区，既提升旅游文化品位，又保护、传承、弘扬和发展民族文化。三是旅游与产业建设融合发展。把旅游开发与高原特色农业、现代工业以及商业、运输、通信、金融、康体、养生等第三产业融合起来，互为支撑，培育、发展和壮大一批新兴特色产业。四是旅游与乡村建设融合发展。以新农村建设为依托，打造一批生态环境优美、民族风情浓郁、社会环境和谐的民族特色旅游村、乡村旅游点和旅游扶贫区，提升乡村旅游的档次、规模和水平，促进农村进步、农业发展和农民增收。五是旅游与生态建设融合发展。以国家公园、生态旅游示范区、旅游循环经济试点的开发建设为抓手，充分发挥旅游产业绿色、生态、低碳的优势，建立健全旅游开发与生态环境保护的良性互动机制，进一步节约资源、保护环境、美化家园。

云南在推进旅游融合发展过程中，主要采取三大措施。一是抓大项目建设带动旅游产业大发展。始终坚持以重大项目建设为载体，重点围绕“111226 工程”的实施，建设 1 个滇池国际会展中心、10 大历史文化旅游项目、10 个国家公园、20 个旅游型城市综合体、200 个旅游重大项目、60 个旅游小镇和 150 个民族特色旅游村。二是政府引导和政策支持。对新建旅游重大项目，各级政府要对旅游重大项目建设规划审查和把关，防止旅游重大项目低水平重复建设。对有条件的城市、县城、乡镇和村庄，要按照功能完备、特色突出、环境优美、传承历史的要求，将其改造成为优秀旅游城市、旅游县城、旅游小镇。同时省政府出台政策，对不同的项目在资金、土地等方面给予支持。三是市场运作。按照十八届三中全会关于发挥市场在资源配置中起决定性作用的精神，同时考虑旅游产业市场化程度高、社会化属性强等特点，云南主要通过建立完善公开、平等、规范的旅游市场准入制度，激发市场主体活力，充分调动市场和社会的力量参与项目建设，吸引一批有实力的国内外企业投资旅游重大项目建设。鼓励企业将公益性、半公益性与商业性设施配套建设，实现功能完备、以商业补公益的目标。政府做好督促检查和服务保障。

二、改革创新，积极探索经济新常态下旅游管理的新体制和新机制

旅游业是综合性产业，产业链长、关联度高、涉及面广。据统计，与旅游服务业直接、间接相关的行业和部门共有 76 个，其中 5 个属于第一产业，30 个属于第二产业，41 个属于第三产业。长期以来，旅游行政主管部门权力小、责任大、管理难到位的情况比较突出。

近年来，云南省委、省政府按照中央全面深化改革的要求，坚持问题导向，积极探索和出台了一些旅游管理体制机制方面的新举措。

一是成立了旅游发展委员会。云南省于 2013 年 2 月将省旅游局正式更名为省旅游发展委员会，并增配省委宣传部、省发展改革委、民族宗教委、公安厅、国土资源厅、住房城乡建设厅、交通运输厅、商务厅、文化厅、工商局等 10 个部门的一位分管领导为兼职副主任；2014 年 6 月，经国务院同意，省旅游发展委员会正式列为省政府组成部门。省旅游发展委员会的组建，标志着云南旅游工作由单一部门推动向综合联动转变，全省建立起政府统一领导、主管部门统筹协调、相关部门协同联动的大旅游工作机制，省旅游发展委员会的职能也由单一旅游行业管理向行

业管理、产业促进、市场监管和服务保障等综合职能转变。省旅游发展委员会原则上每2个月召开一次由全体专兼职副主任参加的全委会，共同研究制定推进旅游强省建设的具体工作措施并逐项细化分解，由各部门依职权分头抓好落实；省旅游发展委员会还不定期召开由部分专兼职副主任参加的专题会议或通过专项督查，对各项落实情况进行督促指导和跟踪问效，确保各项工作落实到位。总体来看，省旅游发展委员会职能定位清晰、权责相对统一、运行顺畅有序，为云南加快培育万亿元大旅游产业、加快推进旅游强省建设提供了坚实的体制机制保障。

二是探索建立旅游综合执法体制机制。针对当前旅游执法涉及多个部门，执法难度大、效率不高的问题，2014年12月29日，云南省委全面深化改革领导小组第七次全体会议明确，由我牵头研究制订云南省旅游综合执法改革方案，报领导小组会议审定后作为全面深化改革的重要举措出台实施。根据省委的安排部署，在充分借鉴西双版纳州“10·20”事件处置经验和教训的基础上，我们组织省旅游委等相关部门研究提出了初步改革方案，旨在整合各部门职能和资源，相对集中执法权，推进旅游市场综合执法，提高旅游执法效率和服务水平。按照先行试点、分步推进的原则，方案提出：近期通过委托授权方式，将各涉旅部门关于旅游经营、服务、消费等方面的行政执法权委托授权给旅游执法机构，由旅游执法机构统一进行行政执法；对涉及需要采取限制人身自由的行政处罚、行政强制措施以及法律法规规定不能授权的其他情形，由相关职能部门牵头到现场依法依规处理。远期要整合行政执法队伍，组建集行政许可、行政强制、行政处罚三权合一的旅游综合执法机构，建立权责统一、权威高效的旅游行政执法体制。目前，我们正抓紧对方案进行研究论证、征求意见并作进一步修改完善，争取尽快出台实施。

三是积极推行无障碍旅游试点。省政府决定将西双版纳州作为全省旅游市场秩序整治的试点地区，要求大胆研究探索实践，通过建立公开透明的市场准入标准和运行规则，允许和鼓励本行政区域外的旅行社、导游和旅游车辆在本地合法自主经营，推行无障碍旅游，打破行业、地区壁垒，实现跨区域的旅游合作与经营，营造公平、透明、竞争的市场环境，为全省旅游市场秩序整治做出探索和示范。

经过不懈的努力和探索，云南旅游积累了一些行之有效的做法和经验，为全省旅游业持续快速健康发展奠定了良好基础。下一步，我们将认真贯彻这次会议精神，学习借鉴兄弟省区的先进经验，进一步解放思想，开拓创新，真抓实干，加快推进旅游强省建设，为新时期中国旅游业发展做出新贡献。

坚持依法兴旅依法治旅 推动海南旅游业持续健康发展

（2015 年 1 月 16 日）

海南省人民政府副省长　何西庆

一、在立法和制度建设上下功夫，努力完善旅游法规制度体系

海南省委、省人大、省政府高度重视旅游法制建设，把产业发展与依法管理放在同等重要的位置上，确立了以旅游业及相关产业发展法规为主干，保障民生、社会治理以及生态环境建设法规为支撑的“一个主干，三个支撑”的法规架构，强力推动地方立法和制度建设工作。

一是抓紧制定完善地方法规体系。海南省人大充分利用中央

赋予海南经济特区的立法权，根据旅游市场出现的新情况、新问题和改革发展的实际需要，先后制定出台了《海南国际旅游岛建设发展条例》《海南省旅游条例》以及涵盖旅行社、导游、景区、旅游价格、旅馆业和旅游客运管理等 7 部单行法规。结合《旅游法》的贯彻实施，海南省在 2014 年又修订了《海南省旅游条例》，省政府制定了《海南省旅游安全管理规定》，2015 年又将修订《海南经济特区旅行社管理规定》《海南经济特区导游人员管理规定》纳入全省立法计划。目前以《海南省旅游条例》为主干，8 个单行法规、规定作配套，构成了海南省旅游地方法规体系，为全面推进依法兴旅、依法治旅提供了强有力的法规保障。

二是建立和完善有关制度。在加强法规建设的同时，海南省在建立旅游综合协调机制、旅游联合执法监管机制、旅游投诉统一受理机制和旅游景区价格监管机制等方面进行了积极探索。成立了海南国际旅游岛建设领导小组，加强国际旅游岛建设重大事项的统筹协调，建立了旅游综合协调机制；成立了海南省旅游市场综合整治工作领导小组，形成了旅游联合执法监管机制；制定《海南旅游咨询与投诉一体化管理制度》，完善旅游投诉的分办、查办、督办等工作制度并强化责任追究，实现旅游咨询和旅游投诉一体化管理；出台《海南省实行政府指导价管理旅游景区景点目录》和旅游景区门票等价格管理有关规定，对全省旅游景区门票的价格制定、价格公示等进行了明确。

三是推行旅游标准化体系建设。依照《旅游法》，出台了针对性较强的《海南省旅行社经营规范（试行）》，以推动解决旅行社及导游低价揽客、“零负团费”经营问题。近年来，还制定了《旅行社等级划分与评定》《旅游景区从业人员行为规范》等41项具有海南特色的旅游服务地方标准，在行业内加大执行标准力度，将各项标准化内容纳入旅游合同（示范文本），督促执行实施。

二、在深化行政体制改革上下功夫，努力提升旅游行业管理水平

针对旅游业涉及面广、旅游市场管理主体多元、监管对象复杂、监管难度较大等问题，我省在旅游管理体制改革方面进行了一些有益的探索。

一是强化对国际旅游岛建设的统一领导。为了认真贯彻实施《国务院关于推进海南国际旅游岛建设发展的若干意见》（国发〔2009〕44号），加强对国际旅游岛建设的领导，2010年7月，成立了海南国际旅游岛建设领导小组，由省委书记、省长分别担任组长和第一副组长，统筹推进国务院44号文件和《海南国际旅游岛建设发展规划纲要》的贯彻落实，研究制定海南国际旅游岛建设发展的重大政策和举措，审定重大旅游项目等。2014年1月25日，国务院正式批复同意海南省调整三亚市行政区划。目前，撤镇设区工作基本完成，新设立的4个区将更好地履行城市

综合管理职能，进一步提高旅游服务管理水平。

二是创新旅游行政管理体制。为进一步体现旅游在全省经济社会发展中的重要地位，2009 年 5 月，海南在全国率先成立了旅游发展委员会，并将旅游部门由政府直属机构变更为省政府组成部门，由省长助理兼任旅游委主任，直接参与省政府的决策工作。省旅游委在各厅局中排序仅次于省政府办公厅和省发改委，内设机构由 7 个增设到现在的 12 个，行政编制由 50 名增加到 74 名。省委组织部从招录的 50 名紧缺人才中分配 10 名到省旅游委，充实省旅游委工作力量。

三是深化旅游行政执法体系改革。我省成立了由省政府分管副省长任组长，省旅游委牵头，15 个厅局成员单位组成的海南省旅游市场环境综合整治领导小组，实现相关厅局成员单位的联合执法，改变了各自为战的状况。同时，省政府批准在原省旅游质监所的基础上成立省旅游质量监督管理局，旅游综合执法改革稳步向前迈进，海南旅游执法成效进一步显现。近年来，我省先后与广西、广东等多个省份签订联合执法协议，实现了执法联动和信息共享，在探索旅游跨省执法协作方面取得突破。

四是推动旅游协会改革和规范行业管理。2014 年以来，我省按照“自治、自律、自立”的指导思想，先后成立了省旅游工会和具有独立法人资格的省旅游景区协会、旅行社协会和旅游饭店业协会，同时在省旅游协会内部成立了指导行业发展的景区、酒店、旅行社、导游和品质保障工作部，通过政府放权、行业自律，积极推动行业诚信建设，建立公平竞争的市场环境，维护良好的旅游市场秩序。

三、在旅游市场治理上下功夫，依法营造良好的旅游环境

海南省委书记罗保铭同志一再强调，旅游环境是国际旅游岛建设的"最低门槛"。近年来，在规范旅游市场秩序工作中，海南省逐步建立了党委领导，政府负责，人大、政协监督，相关部门齐抓共管，社会各方广泛参与的治理格局，旅游市场治理取得新成效。

一是从全局高度加强全省旅游市场综合整治。海南省委、省政府高度重视旅游环境建设，省委书记、省长多次做出重要批示，指导旅游市场整治工作。在黄金周假日期间，有关领导亲自挂帅，在重点旅游城市靠前指挥，开展督导检查。2013 年 3 月以来，先后召开 8 次全省旅游市场环境综合整治领导小组工作会议，组织开展 15 次联合执法行动，通过媒体连续 8 批次曝光扰乱旅游市场的违法违规企业和个人；海南省人大在旅游业管理立法和专项执法检查方面加大力度；海南省政协连续两年将旅游确定为重点调研课题，分别对"旅游消费需求拉动海南经济发展"、"海南省五星级酒店发展情况"进行了深入调研，并向省委、省政府

提出了工作建议。全省上下基本形成了齐心协力推进旅游事业发展的工作格局。

二是依法查处扰乱旅游市场的违法违规行为。2013 年以来，由省旅游市场综合整治工作领导小组统一组织安排，旅游、交通、地税、工商、质监、物价等 15 个部门组成 6 个综合执法检查组，采取分片包干的办法在全省范围内持续开展旅游市场环境综合整治，依法从严从重查处扰乱旅游市场的违法违规行为。自整治行动开展以来，全省已累计查处并执行完毕的涉旅案件 403 宗，其中涉案旅行社 111 家（次），旅行社责任人 31 人（次），导游 67 人（次）；旅游酒店类 72 家（次）；旅游景区类 25 家（次）；旅游购物类 52 家（次）；旅游餐饮类 53 家（次）；旅游交通类 45 宗；涉案旅游企业类 24 家（次）；涉案旅游个人 21 人（次）；其他类 21 宗。依法吊销旅行社经营许可证 12 家，依法注销旅行社经营许可证 8 家，依法责令停业整顿旅行社 8 家（次）；依法取缔非法经营的酒店 8 家；吊销导游证 3 名。罚没款共 1649 万元，补征、补交各类税费 247 万元。

三是努力形成旅游市场监管的良好社会氛围。海南省建立了旅游信息公示和电子认证制度，开展了短信提示服务，建立了旅游咨询和投诉的一体化管理机制，在完善 12301 旅游咨询投诉平台的同时，在南海网开设“海南旅游服务质量投诉平台”，进一步畅通投诉渠道。同时，建立了旅游企业和从业人员信息公示平台，将其基本信息、行政处罚等诚信信息向社会公布，接受社会公众的监督。为进一步组织动员社会各方力量参与旅游市场监管，形成社会共治合力，2015年起，海南省和三亚市将建立旅游市场违法违规行为举报奖励制度，鼓励社会公众积极参与对旅游市场违法违规行为的投诉举报，以便及时发现、及时查处旅游违法违规行为，促进海南旅游业持续健康发展。

海南旅游业虽然在产业发展、体制改革、依法治旅等方面取得了一些成效，但是，与各兄弟省市相比还存在很多不足，特别是与国家旅游局的要求还有很大的差距。海南的旅游市场关注度、敏感度很高，我们深感责任重大，深知旅游市场依法规范永远在路上，没有休止符。2015年是全面深化改革的关键之年，也是全面推进依法治国的开局之年，海南将全面推进依法兴旅、依法治旅，通过旅游法治建设的不断完善促进旅游业持续健康发展。我们要认真贯彻落实好本次会议精神，圆满完成全年工作任务，为提高国际旅游岛建设水平而不懈努力。

打造西藏旅游升级版
建设重要的世界旅游目的地

（2015 年 1 月 16 日）

西藏自治区人民政府副主席　甲热 · 洛桑丹增

西藏区域情况特殊，资源禀赋独特。中央第五次西藏工作座谈会明确了“把西藏建设成为重要的世界旅游目的地和重要的中华民族特色文化保护地”的重大战略定位。自治区党委、政府结合基本区情和阶段性发展特征，提出“大旅游、大产业、大发展，将旅游业培育成重要的战略性支撑产业”，明确以建设重要世界旅游目的地为主题，以打造西藏旅游升级版为主调，以高端、精品、特色为发展主线，奏响了旅游业加快发展的号角。2014 年全区接待国内外游客 1530 万人次，实现旅游收入 204 亿元，同比分别增长 18.5%、23.5%，接近全区生产总值的 1/4。

我们在加快西藏旅游业发展的进程中，主要有以下三个方面的考虑：

一是坚守生态底线。西藏是重要的国家生态安全屏障，是世界上最后一片净土，良好的生态环境是西藏旅游赖以发展的基础，也是我区最大的财富和优势。我们深刻认识到，保护生态环境是发展旅游业的底线。基于这样的认识，我区明确了旅游业必须坚持走“高端、精品、特色”的发展路径，促进旅游与生态、文化相融合相协调，科学开发、有效保护，维护旅游资源的区域整体性、文化代表性和地域特殊性，以最小环境代价产出较高的经济效益，减少人为因素对环境造成的破坏，确保我区旅游资源的永续利用。

二是突出地域特色。西藏地处青藏高原，沧海桑田，造就了得天独厚、富有魅力的自然环境；千百年来，生活在这片土地上的广大人民，创造了开放包容、豁达乐观、崇尚和谐的西藏文化。自然的造化、文化的积淀构造了西藏旅游的特质，这个特质完全符合当代人呵护环境、返璞归真的共同追求，也符合人们寻求独特体验、寻找人生价值和探索自然、人文奥秘的时代需求。我们在发展旅游业中坚持打特色牌，围绕“世界屋脊 神奇西藏”主题，以“高山、雪域、阳光、藏文化”为依托，推出了“大美西藏 · 心灵之旅”、“冬游西藏 · 享受阳光”等一系列旅游产品，初步形成了建设世界重要的旅游目的地良好的产品吸引力和品牌影响力。

三是重视旅游惠民。我区 70% 以上的人口是农牧民，面临就业门路少、持续快速增收难等困难，如何让老百姓生财路、得实惠，这是我区全面建成小康社会的关键所在。旅游业是劳动密集型产业，就业容量大、门槛低，参与方式灵活多样，是促进民生改善的重要渠道。我们确立了坚持旅游富民的原则，制定了一系列激励措施和优惠政策扶持引导农牧民和城镇居民有序参与旅游服务，实现了旅游增长与就业增长同步。目前，全区旅游就业总人数突破 30 万人，其中：藏族从业人员占 62.8%，农牧民从业人员占 20%，人均增收 7000 元。“走旅游路，吃旅游饭，发旅游财”已成为农牧民群众的自觉行动。

为打造西藏旅游升级版，我们主要从以下五个方面加以推进：

一是更加注重顶层设计。我们十分注重“规划”、“政策”等顶层设计。2014 年，我们在国家旅游局的大力支持下，在京召开《西藏建设重要世界旅游目的地中长期规划》专家咨询会，并委托中国旅游研究院编制了规划。相配套的《拉萨国际旅游城市总体发展规划》《林芝生态旅游大地区建设发展总体规划》，先后两次在京开展了返审返评工作，并根据专家意见对规划进行了再修编。同时，自治区党委、政府决定近期召开全区旅游产业发展大会，下发《关于加快推进重要的世界旅游目的地建设的意见》，进一步明确西藏旅游业的战略定位、发展重点、具体措施、建设步骤，力争在对外开放、财税金融、人才培养等方面有新的突破。

二是更加重视体制创新。2014 年，自治区党委、政府决定将自治区旅游局调整为自治区旅游发展委员会，由原来的政府直属机构调整为政府组成部门，进一步强化了旅游行政主管部门对全区旅游业的指导监督、政策引导、宏观调控、统筹协调、规划制订、资源开发、投资利用等职能，从根本上改变了“小马拉大车”的旅游管理格局，旅游行政部门与相关部门的管理职责进一步理顺，旅游科学管理体制初步形成。同时，我们正在着手研究建立旅游行业和市场运营的新标准和规范，力求通过改革市场运行机制、强化旅游安全、规范旅游服务，推动旅游业向诚信、秩序化发展。

三是更加重视品牌打造。近年来，我们通过大力实施品牌带动战略，挖掘具有浓郁地方特色、民族风情的民族文化资源，加大“请进来、走出去”的宣传力度，开发建设了一批贯穿体验文化与感受自然于一体的精品旅游线路产品，成功打造了“大美西藏 · 心灵之旅”、“冬游西藏 · 享受阳光”等一系列主题品牌，刻画了“世界屋脊 · 神奇西藏”、“人间圣地 · 天上西藏”的主题形象，形成了西藏旅游鲜明的标志，使游客体验西藏、感受西藏、品味西藏的愿望得到了更大的满足，增强了旅游竞争力。特别是，2014 年在国家文化部、国家旅游局的大力支持下，我区成功举办了首届西藏旅游文化国际博览会，达到了宣传我区旅游文化资源，展示旅游文化发展成果，共谋旅游文化发展的预期目的。这是西藏旅游发展 30 多年以来，打造的首个国际性旅游文化会展。我们将在总结经验的基础上，进一步丰富形式和内容，努力将“藏博会”打造成为西藏旅游品牌的一张名片，引领西藏旅游迈向产业化、国际化的发展道路。

四是更加重视市场环境。旅游竞争力如何，旅游服务质量、市场环境是关键。2013年以来，我们以《旅游法》颁布实施为契机，按照“全覆盖、零容忍、严执法、重实效”的要求，连续两年在全区开展了旅游市场专项整治执法大检查（其中，2013年为期4个月、2014年为期6个月，两年累计执法300余天），严厉打击“黑社、黑车、黑导、黑店”等违法违规行为，从源头整治因“填坑”引发的私拉快跑、撇开重点景区擅自更改线路、加点加线、购多娱少等市场顽疾，有效净化了我区旅游市场环境，受到了国家旅游局的充分肯定和社会的认同，取得了我区旅游市场整治活动持续时间最长、整治面最广、整治力度最强、成效最显著的成果。

五是更加重视区域合作。西藏是输入型旅游目的地，客源依附程度较高，增加客源、拓宽渠道是做好旅游营销工作的重点。西藏与四川、青海、云南、新疆、甘肃等旅游大省交界，又与尼泊尔毗邻，如何实现“跳板”效应、发挥“门户”作用，对于西藏发展旅游至关重要。近年来，我们以旅游资源的整合为基础，以旅游线路的组织为纽带，同兄弟省份以及尼泊尔建立了良好的区域旅游战略合作关系，努力从不同中寻求发展的大同，从差异性、个性化的产品建设中推进全面协调可持续发展。同时，我们同中青旅联盟、中国旅行社总社有限公司、中国国际旅行社总社有限公司、上海春秋国际旅行社等旅游企业签署战略合作框架协议，扩大了“西藏旅游”产品的市场份额。

目前，西藏全社会关心旅游、重视旅游、支持旅游的发展格局已然形成，旅游产业的火红朝阳正在雪域高原冉冉升起。如今的旅游产业已然发展成为西藏经济发展的重要支撑、社会就业和群众增收的重要渠道，对外交流的重要平台，吸引投资的重要领域，展示社会主义新西藏的新变化、新生活、新发展的重要窗口。

第三篇
2015 年全国旅游工作会议总结

在 2015 年全国旅游工作会议上的总结讲话

（2015 年 1 月 16 日）

国家旅游局副局长　吴文学

2015 年全国旅游工作会议完成了全部议程，今天下午就要结束了。尽管这次会议是常规的年度工作会议，但 2015 年是“十二五”收官和谋划“十三五”的关键之年，也是全面深化改革、全面建设小康社会、实现“两个一百年”目标的转承之年；同时这次会议也承载着旅游全行业对国家旅游局新一届领导班子的新期待，因此，本次会议尤显重要。

会议有五个特点：**一是领导重视**。在会议之前，李克强总理做出了“‘四个着力’和让旅游更安全、更便利、更文明、更舒心，为推动经济提质增效升级、人民群众生活水平跃升做出新贡献”的重要批示，对新时期旅游工作寄予厚望。汪洋副总理为旅游工作“点赞”，高度肯定了金早同志代表国家旅游局党组提出的旅游业发展思路，认为：站位高、定位准、方法新、举措实。可以说，这种重视程度在全国旅游工作会议的历史上是不多的。**二是准备充分**。本次会议的筹办，一直以“邓小平论旅游”、“习近平论旅游”为指导。为起草好工作报告，做好工作部署，金早同志进行了非常深入的调研，广泛听取了各省区市旅游部门、重点旅游企业、旅游协会负责人以及业内外专家学者的意见。报告采取了“1+12”的模式，即1个主报告并配套12个专题工作方案，受到大家的赞同。**三是使命感强**。会议立足当前，着眼长远，重在深化认识、重在深度谋划、重在提出举措。金早同志更是吃住在办公室，连续挑灯夜战，带领大家研究旅游业发展中的重大问题，这充分体现了浓浓的旅游人情怀和强烈的工作责任感，让党组的同志们无不为之感动，都倍加珍惜，倾力投入。**四是内容丰富**。会议采取大会和专题会议相结合的方式，白天开大会，晚上分头举行专题会。特别邀请了中央政策研究室原副主任郑新立同志做专题辅导报告。6个省、区、市的主管领导应邀参会并做经验介绍。与会同志普遍感觉本次会议内容丰富，信息量大，议程紧凑，张弛有度。**五是会风端正**。本次会议认真落实中央八项规定精神，参会人员紧张而负责地投入会议各阶段，高度负责地发表意见，五个组的会议简报、四个专题研讨和六个省区市的典型经验介绍，汇集了大家的智慧，给予了我们力量。江西省委、省政府高度重视此次会议。强卫书记亲临大会并作重要讲话，还与鹿心社省长一起，同国家旅游局参会同志进行座谈。江西省旅游发展委员会主任王晓峰带领相关方面做了大量周到细致的工作。在此，让我们以热烈的掌声为他们的付出表示衷心的感谢！

接下来，我从三个方面做个小结。

一、会议的收获

刚才，五个小组召集人的汇报发言，已经对会议做了一个很好的小结，诠释了会议的收获。在此基础上，我说明如下四点：

一是认识升华，信心增强。讨论中，同志们说：工作报告让人耳目一新，感到“从未有过的充实与振奋”。报告指出，当前旅游业正处于发展黄金期、转型攻坚期和矛盾凸显期。大家一致赞同，这一判断反映了旅游业发展的实际，提高了对旅游工作的要求。大家认为，要把转型攻坚和化解矛盾摆在同等重要的位置，进一步从经济社会全局的高度认识旅游业自身的发展规律，牢固树立科学旅游观；进一步放大格局，融入国家战略，优化区域布局，加强旅游业与相关领域的融合，通过有效合作，实现共赢；进一步增强改革创新的主动性，破解各种体制的矛盾，创新发展机制。大家表示，要用开拓进取的精神、迎难而上的勇气、一抓到底的作风，推动旅游业改革发展迈上新台阶。

二是拓宽视野，放大格局。“格局”关系“全局”，在行业内打转转，难成大业；在产业内外求发展，前景广阔，这是大家的一致感受。工作报告总结了过去35年我国旅游业从短缺型旅游发展中国家，向初步小康型旅游大国的历史性跨越，提出了未来35年要实现从初步小康型旅游大国，到全面小康型旅游大国，再到初步富裕型旅游强国的新跨越。这不仅仅是理论上的概括，更是实践的总结和规律的把握。这一论断，明确了我国旅游业发展的阶段性特征；这一分析，揭示了旅游业发展的历史性任务；这一认识，强化了我们旅游工作的责任和使命。当前，我国经济社会正发生着深刻的变化，这就要求我们把握历史脉络，担当历史责任，统筹好旅游业发展“量”的扩张和“质”的提升，发挥好旅游业的经济作用与社会功能，处理好旅游业的规模拓展与升级转型。

三是明确定位，创新带动。改革创新是持续的动力。面对我国经济新常态，我们观念上要适应，认识上要到位，方法上要对路，工作上要得力。同志们谈收获时表示，这次会议“提神醒脑，撑腰打气，振奋人心”。报告强调，旅游业正在成为经济发展新常态下的新增长点，并对经济新常态下旅游业发展总结出九个“新”。对此，大家明显感觉到发展的任务更重了，肩上的责任更大了。同时也感觉到旅游业发展的机遇更加可贵，前途更加光明。面对大好机遇，大家进一步增强了产业自信、行业自信、事业自信，坚信只有乘势而上、奋力开拓，才能不辜负党中央和地方各级党委、政府的重托，才能通过卓有成效的工作实现旅游业的自身价值。

四是明确任务，落脚清晰。这次会议，大家高度赞同“515战略”工作部署，认为“信息量大，很接地气”，同志们也未回避说“现在大脑还不适应，需要补充知识；现在胃口还不适应，需要好好消化；现在两腿还不适应，需要加快脚步”，这些工作任务直面旅游业发展中的各种矛盾和问题，是确保旅游业发展所必不可少的条件和支撑。同时，大家也表示，虽然以目前旅游部门的职能完成这些任务还存在不少困难，但我们要突出旅游业的主体地位，敢于担当、敢于牵头、敢于“亮剑”，善于主动协调各方，整合资源，发出我们的声音，拿出我们的举措，这样才能不断提高旅游部门的威信和影响力。

总之，这次会议起到了深化认识、明确任务、鼓舞干劲的作用，全面达到了会议的预期目的。

二、回应与强调的几个问题

这次会议大家谈了不少问题，提出了很多好的意见和建议，这里我着重强调并回应以下问题。

1.增强新常态下开辟旅游新天地的主体责任意识

讨论中，大家对报告中提到的新常态、新天地、主体责任产生了强烈共鸣；对“三个自信”和“旅游人”的提出备受鼓舞，又感到担子不轻。在我看来，随着经济发展进入新常态，旅游业的地位日益突显，旅游业发展进入新阶段，我们正在迎来一个开辟旅游新天地的大好时机。面对新变化、新情况、新问题，全面树立旅游业发展的新目标，要通过不懈努力发展旅游生产力，并最终建设成为世界旅游强国。而要实现这个目标，需要每一个中国旅游人以主人翁的精神，自觉地担当起自己的使命，牢固树立三个自信，抓住旅游工作的重点，攻克难点，创新亮点，推动旅游业持续健康发展。我们是幸运的一代人，我们同时是承载责任的一代人。

2.创新旅游管理体制

这次会议，旅游管理体制改革创新先行一步的 6 个省区市政府主管领导介绍的经验（北京市的书面介绍）对大家很有启发，让我们认识了体制创新不只是名称的变化，而是职能的拓展，统筹力度、协调力度、联合执法力度和支持产业发展的力度都得到了极大提高；不是“新瓶装旧酒”，而是由抓行业向抓产业、由单一体制向综合体制机制的转变，综合产业就需要综合管理体制机制。我们清楚地知道，此项工作不完全取决于在座的各位，主要是想要通过此次会议传导下去，使目前已经进行旅游管理体制改革创新的几个省区市进一步总结经验，使正在准备的上海、湖北、贵州等十几个省区市能够加快推动，强化与旅游业发展新常态相适宜的工作职能，不断创新旅游管理体制。

3.旅游市场秩序治理等不得

旅游市场关乎旅游业的生命力，关乎旅游企业和从业者的眼前和长远利益，关乎各级政府和部门的形象。工作报告把市场秩序摆到了各项工作的首要位置。国家旅游局明确治理旅游市场秩序要全国一盘棋，坚持标本兼治，区域分工负责，地市为主；要客源地与目的地共同治理，要组团社与地接社联动治理，要线上线下同时治理，要旅行社与导游一体治理，要企业与从业者协同治理，要法律应用、市场化手段、行政管理联合治理，要政府主导与各部门分工负责综合治理。

4.把旅游市场主体培育摆在重要位置

本次会议我们邀请了驻港、驻澳和国内大型旅游企业领导，也有在线旅游企业和国家旅游度假区的领导，参会者备受鼓舞。企业是市场的主体，企业优，则产业优；企业强，则产业强；企业守法经营，则市场秩序良好，若是“家家有病人，人人要吃药”，怎么得了？因此，大中型旅游企业要加快发展，勇于担当；传统旅游企业要加快转方式，获生存，求发展；在线旅游企业要提质提效，依法经营；全业态共同承担责任，分摊成本，理顺导游管理体制。

5.抓好“一带一路”战略实施，加强入境旅游发展

“两大战略”的提出，激活了沿线及相关产业的活力，各地对旅游业的投入一波接一波，国家旅游局在加强驻外办事处建设、抓好规划的同时，正在引导大家重在抓好建设，不再各自为战、同质化竞争，特别要注重发挥优势，抓好特色产品建设，突出各自特点，做好联合营销，加强合作，共同塑造品牌。与此同时，借力生力，加强入境旅游的务实有效工作，克服入境旅游遇到的各种困难，面对严峻的市场形势，开动脑筋，创新宣传方式，对接市场，增加航班，下大力气把入境旅游抓上去。

6.始终如一地抓好旅游公共服务

旅游公共服务是各级政府和旅游部门的法定职责，是旅游部门推动旅游产业发展的必然要求，更是未来旅游部门工作领域的主要增长点。本次会议提出的“厕所革命”，是作为全面加强公共服务的“引爆点”，传导和提示在大众旅游、产业融合的旅游时代，公共服务不可缺位，应尽早到位。

7.关于12个工作方案

为了推动重点旅游工作，依据“515 战略”，国家旅游局认真研究，反复修改，制定了 12 个工作方案。从讨论的情况看，大家都认识到这既是平台，又是抓手，特别是作为载体，会有效地发挥逐级传导的功能。大家给予的赞同和支持，给予了我们正能量，大家感受到的压力和理解，让我们会更加谨慎实施，细心呵护。我们这样做的目的，也是在给同志们“制造和提供武器”，让大家有法、有规、有举措地投入工作，让大家逐级传导分解式地工作，让大家一级抓一级去落实工作任务。更重要的是要引起各级政府的高度重视。为求取得实效，请大家将 12 个工作方案带回去研究、修改，将意见反馈我们。

三、务实有效地做好会议贯彻落实工作

“描绘蓝图不易，施工建设更难”。一分部署，九分落实。2015 年工作的目标、任务和举措都已经明确了，现在最重要的就是要千方百计地把每项工作都落到实处。

第一，要在战略层面为贯彻落实创造良好环境。大家回去后，都要抓紧时间向党委、政府做出汇报，旅游的事权在地方，受益也在地方。在一些重要问题上，必须得到地方党委、政府的支持，汪洋副总理指示我们“旅游局的主要精力常常不是考虑自己做什么，而是考虑怎么调动各部门、全社会的力量，围绕旅游做工作”。要加强部门之间的协同，部门合作是做好旅游工作的重要保障，要积极探索部门合作的有效方式，形成旅游业发展的合力。要注意发挥好市场主体的作用，按市场规律办事，把握好政府与市场的边界，让“看得见的手”和“看不见的手”各司其职、相得益彰。要组织行业做好传达贯彻工作，让全行业全面了解这次会议的精神，进一步统一思想，凝聚共识。

第二，要在战术层面细化落实方案，制订行动计划。这次国家旅游局就 12 项重点工作任务提出了工作方案供大家讨论、修

改完善后落实。但这些方案是国家旅游局就全国层面的方案，各地旅游部门要根据这些方案，结合实际，拿出自己的方案或行动计划来。除此之外，报告中还部署了很多的工作，有些工作可能就是一句话，但是要完成这一句话，也要通过进一步细化工作方案，把责任落实到人头才行。大家要认真对照报告，细化方案，不折不扣地抓好落实工作。从昨天开始到现在，新华社、中央电视台、凤凰卫视等各大媒体一直都在热议旅游工作会议，我们要把这个“热度”传递下去，生根，开花，结果。

第三，要以全新的精神状态，奋发有为地落实好会议的各项部署。今年旅游业改革发展的工作异常繁重，加之基础设施互联互通，一些新技术、新产品、新业态、新商业模式的投资机会大量涌现，目标和任务确定以后，关键是看在座各位旅游部门的领导干部带头实干。各位要做出表率，主动作为，勇于担当，要克服等待、观望和畏难情绪，以昂扬向上的精神状态，带领旅游战线的干部职工共同努力，奋勇开拓，全面提升旅游部门的工作水平，全面完成会议部署的各项任务。

第四，我再强调两项十分重要的工作：一是贯彻十八届中纪委五次全会精神，做好廉洁自律工作。中国旅游业正在迎来大发展的战略机遇，我们要管好行业、抓好产业、干好事业，就更需要我们在树立“三个自信”的同时，既要清清白白做人，也要干干净净做事。明天上午，国家旅游局将就地召开党组扩大会议，传达十八届中央纪委五次全会精神和习近平总书记的重要讲话。各级旅游部门也要认真参加当地的传达贯彻会议。我们都要讲纪律、讲规矩，做政治上的明白人。**二是切实抓好春节期间旅游安全工作**。节假日期间旅游安全工作一刻也不能放松。最近，中办、国办联合下发了安全管理工作的紧急通知，大家一定要落实好《通知》精神，深刻汲取安全事故的教训，以高度负责任的使命感，落实旅游安全监管责任，强化旅游安全监管措施，加强旅游安全检查，做好旅游紧急救援，切实抓好旅游安全工作。

同事们、同仁们，本次会议即将结束，但是参会者余兴未尽，热情未减。让我们在以习近平同志为总书记的党中央的坚强领导下，奋力开辟新常态下中国旅游业发展的新天地，切实落实本次会议的各项任务，把会议所产生的新观念、新思路，所带来的新风气、新干劲持续传导下去，出色地落实在工作中。

谢谢各位！

第四篇
专家观点

新常态下的“旅游新政”

——2015年全国旅游工作会议工作报告的创新启示专题研究

（2015年2月22日）

北京交通大学教授、博导，国家信息中心旅游规划研究中心主任　石培华

引　言

国家旅游局局长李金早同志所作的2015年全国旅游工作会议工作报告（以下简称《报告》），受到了业界和社会的广泛关注和高度好评，大家认为《报告》视野宽、思路新、措施实、直面问题、敢于担当。既有深入的理论研究，又有翔实的数据支撑，

更有创新的思路和具体可操作的措施，明确了新常态下旅游业的任务。为了推进《报告》所安排的各项工作的深入落实，笔者对《报告》进行了专题研究。以“旅游新政”为题研究解读，是因为旅游业发展进入了一个新阶段，党中央、国务院领导对旅游业发展都提出了一系列新要求。近期，国家实施了一系列发展新政，本次的旅游工作报告和工作安排，实际上是国家系列新政在旅游业发展中的具体贯彻落实。《报告》紧紧围绕党和国家发展的全局以及党中央和国务院的决策部署来谋划旅游改革与发展，系统考虑了各种重大问题。

《报告》具有以下特色：

一、具有新视野

——大视野构建大产业、新视野拓展新格局

视野决定格局，旅游发展需要更宽的视野。旅游业对我国经济社会发展全局具有重要战略意义，习近平总书记、李克强总理、汪洋副总理等中央领导都做出了重要指示。旅游工作报告，按照中央领导的指示和旅游业发展阶段的要求，站在国家战略全局的高度，视野宽广。《报告》展现了谋划旅游发展的五大视野——历史视野、全局视野、国际视野、综合视野、立体视野。既“外观”拓展格局，真正跳出旅游谋划发展；也“内观”旅游业，深入内部提升品质。

1.历史视野

党的十八大提出了“两个一百年”的奋斗目标：即到建党100年（2021年），全面建成小康社会；再到新中国成立100年（2049年），建成富强、民主、文明、和谐的社会主义现代化国家，实现中华民族伟大复兴。对我国旅游业的研究和判断，应放在这样的历史进程中加以分析。

《报告》第一次以“两个一百年”历史时间跨度，去深入观察、分析和把握旅游业发展，并放在经济新常态下深入分析旅游业的新特征，在研究基础上还提出了到2020年、2050年我国旅游业发展的总体目标。旅游是经济社会发展综合水平的重要标志，是经济社会持续发展、人民群众收入不断增加的必然产物，也是现代国际化交通等综合基础设施和国力增强的综合支撑的结果。我国正处于中华民族伟大复兴的历史进程之中，正处于各方面都日新月异的变革之中，旅游业发展进入到一个新的特殊的关键时期，谋划旅游业必须要有历史视野。2015年又是一个具有分水岭标志性意义的特殊之年，是“十二五”的收官之年，是全面深化改革的关键之年，是谋划“十三五”发展的开启之年，也是全面建设小康社会、实现“两个一百年”目标的转承之年。在新的时间节点，谋划旅游业更需要有新的历史视野，只有放在这一历史视野中考察，才能深刻、准确地把握旅游业发展的阶段特征和趋势。

正如《报告》所说，过去 35 年，我国经济社会各方面发生了翻天覆地的变化，我国旅游业也从无到有、从小到大，实现了从短缺型旅游发展中国家向初步小康型旅游大国的历史性跨越。未来 35 年将会发生更加深刻深远的变革，从全面小康型旅游大国到初步富裕型旅游强国的新跨越，如果说过去 35 年是旅游业发展的黄金期，未来 35 年更是旅游业发展的钻石期。

未来 35 年，无论是人均 GDP、人均收入、城镇化、产业结构优化、增长方式调整、消费结构变化等都将为旅游业发展提供更强劲动力和更好的条件，按照发展规律，这些因素都将促使旅游业更快更好发展，旅游成为经济新常态的亮点和发展方向，旅游业发展进入更快速发展的钻石期。

2.全局视野

旅游业发展事关国家战略全局，随着 30 多年快速发展，旅游业的综合功能不断凸显，旅游业既关系国计、又关系民生，还关系到国家外交，谋划旅游业发展必须强化全局视野。正如《报告》所说，旅游业已成为“软硬兼备、融合度高、覆盖面广、拉动力强的综合性实力”，是形成国家和地区综合实力的标志产业，是促进国民精神文化享受、提升生活质量的代表行业，是推动人的全面发展、促进人与自然和谐的民生事业。按照党中央、国务院领导的指示要求，在国家发展新格局的背景下，《报告》将旅游业发展放在国家战略全局高度，与国家各方面重大战略进行了全面对接与深度融合。

《报告》将旅游发展与建设中国特色社会主义事业“五位一体”总体布局、与新四化（新型工业化、信息化、城镇化和农业现代化）、与全面深化改革及依法治国、与新时期的国家外交战略及“一带一路”战略、与京津冀协同发展、长江经济带发展战略等重大区域战略、与提高国民素质和国民生活幸福感等战略紧密结合起来，围绕发挥旅游在扩内需、稳增长、增就业、减贫困、惠民生中的独特作用，将旅游业作为稳增长的重要引擎、调结构的重要突破口、惠民生的重要抓手、生态文明建设的重要支撑、繁荣文化的重要载体、对外交往的重要桥梁，放在战略全局进行统筹谋划，充分发挥旅游业在国民经济和社会发展中的重要战略地位。

3.国际视野

我国旅游业发展起步于入境旅游，是开放的前沿和窗口。我国旅游业发展进入国际化发展的新阶段，已从入境游为主发展到入出境旅游并重，深度国际化大交流、旅游外交功能凸显的新阶段。谋划未来的旅游发展，还必须强化更深、更广的国际视野。2亿多人次的入出境旅游，带动巨大的国际经济交流。入境旅游是重要的服务贸易，直接带动出口，是“发生在国内的出口”，或者说是“不用走出国门的出口”。出境旅游则有利于带动投资、货物、服务、管理“走出去”，带动旅游企业“走出去”，带动就业“走出去”。边境旅游方兴未艾、前景广阔。国家正在大力推进“一带一路”、沿边开放、自贸区建设等战略，构建更加主动、更具引领性的开放型经济新体制，旅游业在其中可以大有作为。

《报告》在国际视野上又有新拓展、新突破。一是首次正式凸显了旅游外交的概念与发展举措，提出旅游要在国家开放新格局中，主动作为、主动发声，服务国家整体外交、服务旅游产业发展、服务游客消费需求，努力开创旅游对外开放新局面。二是按照“互联互通，旅游先通”这一总体思路，紧紧围绕“一带一路”战略开展国际旅游合作，整合多方资源，三年内共举办 150 多项重点合作活动；并深化内地与港澳台的旅游合作、突出大国间旅游合作、深化与目的地国家的旅游合作、深化与联合国世界旅游组织合作。三是提出不应将出境旅游、入境旅游割裂开来孤立看待，而应建立“旅游入出境总人次”的概念。把入境旅游与出境旅游作为一个整体，研究统筹用好两个市场、两种资源。就如外贸强调进出口总额，反映一个国家或地区对外经济交往的总规模。

4.综合视野

旅游业已发展成为综合性的现代产业，对相关产业贡献大幅提升。研究和谋划旅游发展，还必须提升综合视野。旅游业的关联行业超过 110 个，是一个多方位、多层面、多维度的大产业。旅游业与相关产业的融合不断深化，旅游新产品、新业态层出不穷，旅游企业类型不断拓展，旅游服务模式进一步优化，已经形成综合性、集群化的产业体系。

《报告》从几个方面拓展和提升了谋划旅游发展的综合视野。提出旅游业对经济的贡献不仅是消费，旅游不仅是消费热点，也是投资热点、出口热点，是三驾马车融为一体的综合产业；提出旅游业是跨一、二、三产业，全产业融合、全要素整合的综合性产业；提出旅游是生态、生产、生活、生意、生命融为一体的服务业，既是生活性服务业，也是生产性服务业；旅游新产品、新业态层出不穷，与各个产业和消费新特点不断融合发展，各种举措中，充分反映了旅游业体系化发展背景下的综合视野，包括产品体系、目的地体系、市场体系、营销体系、公共服务体系等，体现了旅游与生态、文化、城乡建设、相关产业和领域等深度融合发展；充分体现了统筹旅游业作为综合性产业和综合性事业的综合视野。

旅游业与相关领域的融合发展趋势已经形成共识，与新型工业化、新型城镇化、信息化、农业现代化及其他产业发展的融合的进一步深化。如何在融合中突出主体地位，发挥旅游业的统筹和引领地位呢？旅游业的最大优势恰恰是占有市场，这是在融合过程中其他行业和产业所不具备的。旅游业作为市场最活跃的产业，有条件在融合中发挥统筹作用和主体作用。要在融合中创造价值，培育出新的业态、新的产品，这样才是真正地占据主动地位。要通过旅游的创新、创意、创业去支撑，让结合部发展出很多新产品、新业态，从而做大增量、做大蛋糕，通过创造增量来发挥引领和统筹作用。

5.立体视野

研究和谋划旅游业的发展，除了要树立上述战略性的历史视野、国际视野、全局视野等大视野外，还需要梳理宏观、中观、微观相结合的多层次的立体视野。旅游业发展进入大众化、产业化、国际化发展的同时，也进入专业化、现代化发展的阶段，需要深入到旅游业发展的内部，进行“内观”。

《报告》不但有大视野、高视野，而且形成了宏观、中观和微观相结合的立体视野。中观注重旅游市场、旅游产业运行机制、旅游公共服务体系建设，微观注重旅游市场主体（企业）、消费主体（游客）、就业主体（从业者）。注重谋划发展大格局的同时，注重产业自身的发现。注重政府主导、生产者主导的同时，更注重消费者主导、更注重市场需求。对扶持旅游市场主体和促进旅游企业信息化等提出了专项工作安排。在强调市场监管的同时，强调维护导游、领队合法权益，尊重他们应有的社会地位。对导游进行分层管理，按照初、中、高级分层次界定导游资格。提出出台《进一步加强导游劳动权益保障的指导意见》。提出创建导游研修“云课堂”，利用互联网通信技术和云平台技术，为全国导游员搭建一个开放、便捷、公益的专有学习平台和空间等。

二、《报告》在认识和理论创新上有突破

——认识突破明晰方向、理论创新引领发展

要认识新常态、顺应新常态、引领新常态，就需要在对旅游业的认识上、在理论上有新突破。与常规的年度工作报告明显不

同，《报告》对旅游业的性质、功能和特征以新的视野进行了深度研究，形成了许多新的认识。《报告》有着很强的理论创新性，从而为工作思路和举措创新奠定了理论基础，强化了前瞻性和引领力。这些理论的创新，既反映了我国旅游发展在认识上的积累突破，是各方面工作积累和研究集成，也充分体现了国家旅游局领导深厚的理论素养和对研究的高度重视。认识和理论突破主要体现在10个“首次提出”。

1.提出关于我国旅游发展阶段理论的新论述：短缺型旅游发展中国家—小康型旅游大国—富裕型旅游强国

《报告》首次提出，改革开放35年来，我国旅游业从无到有、从小到大，实现了从短缺型旅游发展中国家向初步小康型旅游大国的历史性跨越。未来35年，我国将从大到强、从快到好，实现从初步小康型旅游大国到全面小康型旅游大国、再到初步富裕型旅游强国的新跨越。这一提法首次真正将旅游发展与两个一百年目标完全融合起来加以论述，真正将国家的发展阶段与旅游发展阶段深度有机地融合在一起，真正将旅游经济学的独特内涵个性与发展经济学融为一体，充分应用了发展经济学理论，这是研究旅游发展的一个理论基石，是一个非常值得深入研究的重大理论课题。内涵丰富有理论深度，构建了发展旅游学基础。

正如汪洋副总理提出的，关于我国旅游业发展阶段和目标，一直缺乏一个权威性的说法，好写进国家相关报告。这是一个具有重要价值的理论创新，应该进一步深入研究。

对于我国旅游业发展阶段及阶段目标，原来大家熟知的提法是：从旅游资源大国迈向亚洲旅游大国，再迈向世界旅游大国，然后是世界旅游强国。这一提法持续了很长一段时间，也为描述旅游业发展目标做出了阶段性贡献。但是，这一提法有两个突出的问题：旅游资源大国和旅游大国、旅游强国不是一个内涵、一层逻辑层次，旅游资源大国永远是我们旅游发展的基础，不能从旅游资源大国迈向其他目标。

这种理论贡献的价值，不仅仅在于中国，也有国际意义，世界上还没有构建真正意义上的旅游发展经济学理论。

2.首次系统概括了新常态下旅游业新增长点的9个新特征

发现和培育新增长点，是新常态下实现经济社会发展的关键所在。经济新常态下如何认识旅游业，这是重大实践和理论问题。与传统增长点、其他新增长点相比，旅游业这个新增长点新在哪里？《报告》首次系统概括了9个新特征：（1）旅游业是资源消耗低、环境友好型、生态共享型的新增长点；（2）旅游业是消费潜力大、消费层次多、持续能力强的新增长点；（3）旅游业是兼具消费、投资、出口“三驾马车”功能的新增长点；（4）旅游业是就业容量大、层次多样、类型丰富、方式灵活的新增长点；（5）旅游业是带动开放、推进国际化发展的新增长点；（6）旅游业是增强国民幸福感、提升健康水平、促进社会和谐的新增长点；（7）旅游业是优化区域布局、统筹城乡发展、促进新型城镇化的新增长点；（8）旅游业是促进脱贫致富、实现共同小康的新增长点；（9）现代旅游业是新的经济社会组织方式，是提高全社会资源配置效率的新增长点。其中有一些是长期积累的总结概括，但有许多是首次明确提出的，形成了关于旅游新增长点的创新、系统的理论总结。这些旅游业新增长点的新特征，对应了中央对新常态9个方面论述，构建了新常态下旅游业发展新的概念和话语基础。

3.首次提出旅游业是软硬兼备的综合性实力、提出对旅游业的“行业、产业、事业”三位一体的理论框架

如何更加深入、全面、系统地认识旅游业的综合功能与性质，一直是一个重要的理论命题，也是一个重要的实践性课题。回顾35年，我们对旅游业的地位和功能的认识在不断深化。20世纪80年代，旅游业被作为重要的创汇行业；20世纪90年代，国家提出把旅游业培育成为新的经济增长点，旅游业成为扩大内需的重要手段；进入新世纪，旅游业被定位为国民经济重要产业。2009年，旅游业被定位为“国民经济的战略性支柱产业和人民群众更加满意的现代服务业”。《报告》对旅游业的功能定位又一次进行了系统提升提炼，提出旅游业已成为“软硬兼备、融合度高、覆盖面广、拉动力强的综合性实力”，是形成国家和地区综合实力的标志产业，是促进国民精神文化享受、提升生活质量的代表行业，是推动人的全面发展、促进人与自然和谐的民生事业。首次系统提出了综合性实力，以及产业、行业、事业三个层次概念，对旅游业性质、功能的认识又有新突破。

4.首次官方正式提出，旅游业对经济的贡献不仅是消费，旅游不仅是消费热点，也是投资热点、出口热点

关于旅游业对国民经济的贡献，我们经常都是在说对消费的贡献，在各种重要的文件中，也是将旅游仅放在促进消费方面加以论述。《报告》中有一个重要突破，就是明确指出，旅游业对经济增长的贡献，不仅仅体现在消费拉动，也体现在投资、出口拉动，是一个多功能融合的新增长点。旅游不仅是消费热点，也是投资热点、出口热点。这对我们定位旅游业、制定相关的政策等将有很重要的意义。

从消费拉动看，旅游消费是最终消费、多层次多样化消费和可持续消费，有很强的融合能力和巨大的增长潜力，是新常态下扩大消费的重要动力源，已成为居民的普遍消费和推动消费升级的主渠道之一。房地产、汽车、家电等传统消费热点已接近上限，正在或即将碰到“天花板”，增长速度呈下降趋势。旅游消费却不同，经济社会越发展，旅游需求就越大，可以无限拓展，是消费“永动机”。2013 年，我国居民国内旅游总花费占居民消费支出总额的 12.38%。旅游休闲消费是国务院确定重点加以推进的六大消费领域之一。

从投资拉动看，旅游投资需求大、热点领域多，潜力大，在其他领域投资乏力的情况下，全国旅游投资强劲增长，2014 年全年完成旅游直接投资 7053 亿元，同比增长 32%，比第三产业投资增速高 15 个百分点，比全国投资增速高 16.2 个百分点。未来三年，旅游直接投资将超过 3 万亿元。而且，旅游投资的带动性强，按照国际上 1∶5 的旅游投资带动系数测算，未来三年我国旅游业将带动 15 万亿元以上的综合投资。

从出口拉动看，以出境旅游“走出去”为先导，带动对外投资、货物出口、技术出口、服务出口，是新一轮出口和对外投资的“先遣队”。旅游业对我国的出口综合带动效应日益显著。2013 年旅游业拉动出口占当年出口的 7% 以上。

5.《报告》首次提出旅游业不仅是产业，也是一种新的经济社会组织方式，有利于提高社会资源配置效率

《报告》提出，现代旅游业已经成为全要素融合，全产业链整合，跨越一、二、三产业的现代产业集群和经济社会组织方式，旅游通过产业融合，形成资源共享，实现协同发展，创造新增价值。与一般传统产业不同，旅游业以游客消费为主线，串联起各种消费、各种要素、各种产业、各种服务，形成各类旅游相关产业群，是对社会各种资源要素整合利用、提高综合效率的新型经济形态。旅游业在经济发展中的作用是对需求的拓展和组织，是以市场为中介，对旅游需求和供给要素进行再组织的过程，是经济发展的“催化剂”、社会协调的“润滑剂”、转变发展方式的“加速器”。提出这个观点对深刻认识把握旅游业的本质具有深远意义，这种认识跳出了传统意义下对旅游业的认识，让我们更加深刻地认识了旅游业作为一个现代经济的消费、体验、组织、营销方式的独特价值，作为一个整合各方面要素的经济运行方式的独特价值。

6.提出新的旅游要素理论。根据旅游发展趋势，在原有“吃、住、行、游、购、娱”旅游“六要素”基础上，提出拓展丰富“商、养、学、闲、情、奇”等新旅游要素

《报告》在充分肯定“吃、住、行、游、购、娱”旅游“六要素”的基础上（认为这个旅游“六要素”精辟概括了旅游活动，是直到现在对旅游业描述最简洁、最准确、传播最广的概念）。认为，由于激发人们旅游的动机和体验要素越来越多，需要拓展新的旅游要素。总结旅游业这些年的发展，在现有“吃、住、行、游、购、娱”旅游“六要素”基础上，可否概括出新的旅游六要素：“商、养、学、闲、情、奇”？前者为旅游基本要素，后者为旅游发展要素或拓展要素。现在的舆论宣传其实有一个误读，认为《报告》将“商、养、学、闲、情、奇”新的旅游“六要素”替代原来的“吃、住、行、游、购、娱”旅游“六要素”。其实，《报告》中明确指出，“吃、住、行、游、购、娱”旅游“六要素”，是保障旅游的基本的消费要素，永远都是支撑旅游活动和旅游发展的基础。新提出来的“商、养、学、闲、情、奇”新的旅游“六要素”，实际上是传统旅游“六要素”中“游”要素的丰富和拓展，是对旅游新业态、新产品和新动机的一个概括和描述。《报告》还指出，拓展出“商、养、学、闲、情、奇”旅游发展“六要素”，也只是基于现阶段实践的总结，随着旅游不断升级，今后还会拓展出更新、更多的旅游要素。这是旅游业蓬勃发展的大趋势。同时，从保障旅游发展的角度，还有旅游的发展要素，也可以概括出“文（文化）、生（生态）、土（土地）、信（信息）、人（人力）、科（科技、装备）”等发展要素。旧的旅游“六要素”说源于对观光旅游基本要素的解释，但现在已经到了观光、度假、商务和更多其他领域的旅游产品全面丰富的时代。对于其中更加小众的定制旅游来说，新“六要素”说更是让行业深思，虽然未直接提出发展高端定制旅游，“商、养、学、闲、情、奇”不正是定制旅游的发展方向吗？

7.提出建立“旅游入出境总人次”的概念

《报告》还有一个理论贡献，就是提出建立“旅游入出境总人次”的概念。认为不应将出境旅游、入境旅游割裂开来孤立看待，而应建立“旅游入出境总人次”概念。我国已成为既是重要的入境旅游目的地国家，也是重要的出境旅游客源地国家，这是民富国强、旅游兴旺发达的体现。旅游服务贸易对客源地和目的地产生的拉动是综合性的，不应只考虑入境或出境某一方面。因此应该把入境旅游与出境旅游作为一个整体，研究统筹用好两个市场、两种资源。如外贸强调进出口总额，反映一个国家或地区对外经济交往的总规模。

8.首次正式明确提出，旅游业不仅富民，也富财政

《报告》指出，许多人认为“旅游业富民不富财政”。在旅游业发展初期，这是事实。是由旅游业发展初级阶段特点所致。但是，进入 21 世纪，随着我国旅游产业化、大众化时代的到来，情况已经发生了实质性改变。旅游业的富民功能在不断突显的同时，对财税的贡献也在快速提升。这是由现阶段旅游业发展的新特点决定的。旅游业已经成为许多地区重要的财税来源。旅游对财税的贡献带动性强、乘数效应大，除了直接的财税贡献外，带动大批相关产业和配套服务的税收也有很大规模。许多旅游景区每年纳税上亿元甚至数亿元，是当地的纳税大户，成为主要财税来源。大集团进军旅游业，带来的税收及非税财政贡献更加明显。随着旅游业市场化、产业化、集聚化发展加快，旅游产业面不断拓展、产业链不断拉长，旅游对富民和富财政的贡献都将越来越凸显。

9.提出建设旅游智库群概念，创建国家旅游产业科技创新中心新平台，在旅游业创新体系建设上有新突破

《报告》提出坚持“五湖四海”、各尽其才的原则，整合各方面的智力资源，加强旅游业基础研究工作。提出成立中国旅游学会和中国旅游智库，并逐步构建旅游智库群。提出建设国家产业科技创新工程中心，组织旅游创新创意创业大赛，支持设立多种形式的中国旅游创新创意创业基金，推动建设旅游科技创新孵化园，将工程中心建成国家级科技创新工程中心。这是一个极有胸怀和大格局的创新，旅游智慧有很强的实践性、社会性、综合性、创新性，旅游智库的建设需要采取互联网的思维，迫切需要构建智库平台，构建智库群，整合激活全社会的智慧，更好地推动旅游业的转型升级。

10.提出旅游综合调查测算要“两条腿”走的创新模式

经过30多年的实践与发展，目前已经形成一套方法比较科学、制度严谨、结构较完善的旅游统计调查体系，旅游统计工作已经成为服务业、文化产业等领域中最系统、最成熟的领域。但对应实际多样化动态化需要，仍难以满足工作需要，迫切需要建立起新的综合统计分析模式和体系。

旅游业统计最终需要纳入国民经济核算体系，推进与国家统计局的良好合作至关重要。根据任务分工，由国家统计局和国家旅游局负责，国家统计局牵头负责旅游及相关产业分类标准制定、旅游及相关产业增加值核算。但国家统计工作是法定制度统计，有严格程序，是结果统计和事后核算，而且国家统计局负责全国全面的统计工作，也不可能单独对旅游一个行业做更深入细致的统计分析工作。因此，《报告》提出在会同国家统计局做好常规旅游统计工作的同时，探索两条腿走路，会同国家信息中心开展“中国旅游业综合调查测算与运行监测评价”，建立旅游经济运行动态监测机制。开展旅游业增加值核算，全面反映旅游业在国民经济中的地位。开展更具有针对性和指向性的旅游统计分析，为旅游决策提供重要依据。通过第三方实施综合测算和运行监测，在国家统计局官方数据之外，能够提供权威性、综合性、系统全面的数据支撑，能够为统计工作奠定基础和产生影响，也能对社会很多关注问题有权威说明和引导，是一种补充和支撑。其新研究课题能为国家统计局的工作提供佐证和辅助支撑，而且能在服务业、文化产业等新兴领域的统计工作中探索一种新模式。特点是整合集成、综合测算、比较分析、新技术应用。

三、工作思路的五个创新突破

——新思路开辟新天地、新方法打开新局面

旅游工作是一个十分庞杂的系统工程，涉及方方面面。面面俱到很难突出重点，有所侧重又很难系统推进。这次《报告》一个很大的智慧，就是做了一个很好的整合集成，进行了一体化的工作设计。《报告》中的工作思路和方法创新，充分体现了国家旅游局以及旅游系统的工作特点或者说要求：一是引领性，易传播。“515 战略”的工作体系，已经被行业乃至社会熟知。二是系统性，全覆盖。作为国家旅游局对全行业、全社会发展旅游工作的安排，需要系统全面。三是操作性，能落实。提出的举措要有可操作性，而且有推进落实的保障措施和机制。提出的 52 条举措，建立在广泛的座谈调研、各司室工作、各地工作建议的基础上。四是创新性，有突破。国家旅游局要引领创新、要带头突破常规。五是攻坚性，敢担当。国家旅游局对全国旅游工作的部署要带头攻坚克难。

《报告》中提出的工作思路和安排，理念新、方法新、措施新，贯穿了科学旅游观的主线，改革创新的精神，可持续发展的意识，融合了经济发展的新要求、新方式、新业态，以及国际上旅游业的新理念。主要有以下五个方面创新：

1.新的工作思路

首次提出了“谋划长远、规划中期、计划滚动、安排当年”的创新工作思路。《报告》提出，要创新工作方式，长、中、短期相结合，形成一套完整的工作思路。做到长远有方向，中期有目标，近期有计划，年度有方案，形成“谋划长远、规划中期、计划滚动、安排当年”的旅游工作格局。谋划工作不能孤立地就年度谈年度，必须在把握长期趋势，做好中期分析的基础上统筹安排。按一年部署，缺少工作连续性，因为许多工作一年内不可能完成；按五年或者更长时间部署工作，周期又显太长。“谋划长远”，主要是指编制《到新中国成立100周年中国旅游业发展战略纲要（2015 ~ 2050）》，形成国家的旅游发展战略。“规划中期”，主要是指集中力量编制《中国旅游业发展第十三个五年规划》。“计划滚动”，是指以三年为一个基本单元，逐年滚动，与时俱进。“安排当年”，是指在滚动计划中，制订落实当年具体的重点工作方案。

旅游业发展见成效需要有一定周期，这种“谋划长远、规划中期、计划滚动、安排当年”的创新工作思路，符合旅游业发展的规律，对我们谋划旅游工作很有示范意义。

2.新的工作目标

《报告》提出了一套新的目标描述。即紧紧围绕“文明、有序、安全、便利、富民强国”五大目标。

——文明，就是要推动旅游者文明出游，旅游企业诚实守信，从业人员服务至诚；并且从旅游者、从业者、旅游企业不同的主体，提出了文明旅游的具体要求和目标。

——有序，就是要实现市场有序、竞争有序、管理有序、出游有序。强化法治意识和规则意识，坚持依法兴旅、依法治旅。提出要做到旅游各个环节运行井然有序，让游客愿消费、敢消费、放心消费，高兴而来、满意而归。

——安全，就是要坚持安全第一，强化政府的监管责任，企业的主体责任，增强游客的自我防范意识。

——便利，就是要努力做到信息获取的即时化，交通出行的通畅化，通关手续的便捷化，旅游设施的人性化。

——富民强国，就是要通过旅游业发展，不断提高旅游业在国民经济中的比重、国内旅游消费占居民消费的比重、旅游进出口总额占服务贸易进出口总额的比重，基本实现把旅游业培育成国民经济战略性支柱产业的目标。

这种目标描述的创新在于：直面问题、直击任务、直观表达。这种目标描述，把党委政府、社会、行业大家最关心的问题、最关注的任务，直接作为目标，既全面又突出重点，既内涵丰富又直接直观，很好地定位了旅游工作的角色。

3.新的工作体系

开创性地提出了“515战略”的旅游工作体系。《报告》提出围绕“文明、有序、安全、便利、富民强国”五大目标，推出今后三年旅游业发展10大行动52项举措。针对的都是关系旅游业持续健康发展、也是全社会广泛关注的重大问题，包括提出的目标和举措，站位高、理念新、思路广、举措实、亮点多。正如与会代表讨论中所说，提出举措，有板有眼、有钉有铆，工作目标、支撑措施都比较明确。比如启动7个省市的门票价格管理试点，对1000个扶贫重点村开展旅游扶贫，培育10个国际旅游示范市，10 ~ 15个特色旅游品牌的目的地，启动万名港澳台青少年赴内地游学工程，大学生背包自助宣传文明旅游，等等，这都是看得见、摸得着的实事。这10大行动52项工作，对问题把得准、抓得实，既系统全面也重点突出，把握住了旅游业发展的主线和关键环节，大力推进落实，旅游工作就能上一个大台阶。这种工作体系的意义还在于，目标、重点行动、具体工作三位一体，系统安排，形成了目标引领、行动支撑、举措落实的务实工作安排，是一项缜密的系统工程，而且易于传播。事实上，从全国旅游工作会中及会后反映看，“515”战略很快成为行业和社会熟知、广泛高度认同的国家旅游业发展的工作部署。

4.新的工作方法

《报告》首次形成了一个主报告和若干实施方案组合。除大会主报告外，本次大会提交了系列工作方案供大会讨论：《“丝绸之路经济带”和“21世纪海上丝绸之路”旅游宣传推广三年活动方案》《旅游行业全国文明旅游先进单位选树（表彰）工作方案》《全国旅游厕所革命工作方案》《景区门票价格管理改革试点工作方案》《关于“中国特色旅游目的地”系列品牌创建工作方案》《2015年旅游扶贫工作方案》《2015年地方旅游委局业务工作评估方案（试行）》《旅游服务质量“万名社会监督员”制度》《2015年红色旅游重点工作方案》《中国旅游业综合调查测算与运行监测评价研究工作方案》等方案，增强了可操作性。

5.新的工作机制、新的工作手段

提出的工作举措注重体制改革和机制创新。《报告》提出必须把改革思维、改革措施贯穿到各项工作之中，坚持综合改革与专项改革并举，体制突破和政策保障共推，发挥旅游改革对旅游发展的引领作用，为旅游业持续健康发展提供坚强的保证。为切实抓好旅游改革工作，国家旅游局成立旅游体制改革领导小组，将在中央深化改革领导小组领导下，推出一系列重点改革举措。《报告》提出建立旅游市场秩序综合评价制度，旅游服务等级退出制度，旅游目的地警示制度，建立国际旅游目的地，这些都是制度创新，是整治旅游市场秩序的治本之策。积极探索利用公安、消防、武警等救援力量和专业化救援队伍为旅游紧急救援提供服务的新机制等。包括提出创新区域旅游合作机制，充分发挥好政府在区域合作中的先导作用，破除旅游一体化发展的体制政策障碍。

举措中注重利用信息化等新技术、新手段的应用。世界已经全面进入信息化时代，互联网、移动互联网、大数据深刻地改变着世界的面貌，同样也深刻地改变着旅游业的运行方式。积极主动融入互联网时代，用信息化武装中国旅游业和社会管理。打造中国旅游服务门户。充分利用微信微博、手机短信等新手段，提高安全提示信息的受众面和时效性。借助交通部门全面推动旅游客运汽车安装具有行驶记录功能的卫星定位装置并实行联网联控等。提出构建旅游新闻发布、政务网站、新媒体“三位一体”信息公开平台，积极发挥旅游部门官方网站、官方微博和《中国旅游报》的主渠道作用。统筹发挥传统媒体和网络新媒体作用，探索搭建专业旅游电视平台。进一步加强政务公开和信息报送，提高新闻宣传工作行政效能，提升中国旅游业整体形象。

四、《报告》在工作举措方面有创新

——新举措有板有眼、实举措有钉有铆

旅游工作面临的形势正在发生深刻变化，机遇前所未有，挑战也前所未有。必须站在全局高度，以全新的视角审视旅游业的地位和作用，找准旅游工作的定位和着力点，加快转变旅游发展方式，增强旅游发展动力，拓展旅游发展空间，优化旅游发展环境，完善旅游发展政策，推动我国加快由旅游大国向旅游强国转变。《报告》建立在大量调查研究、全局工作智慧集成的基础上，问题把得准、措施非常实、重点很突出。52 项举措，有板有眼、有钉有铆，工作目标、支撑措施明确。《报告》中举措的创新，主要体现在以下 10 个方面：

1.直面问题，将整治旅游市场秩序作为首要任务

旅游市场秩序是衡量旅游发展水平的首要标准，《报告》提出要敢于担当、主动作为，形成标本兼治、惩建并举、综合治理的工作格局，建立市场监督的长效机制：（1）推出强化督办制度、建立旅游市场秩序综合评价制度、建立健全服务等级“退出制度”、建立旅游目的地警示制度；（2）加强综合整治；（3）创新社会监督形式；（4）严厉打击旅游违法失信行为；（5）加强导游、领队的保障、培训和管理。这些举措形成系列“组合拳”，可以期待会明显遏制旅游市场乱象。

2.抓住热点，首次系统谋划营造文明旅游大环境

文明旅游关乎国家和民族形象，体现公民素质。《报告》指出，抓住典型案例，发挥警示教育作用。从恶劣事件抓起，通过惩治旅游不文明行为，达到弘扬文明旅游的目的。以出境旅游为重点，提出了发布出境旅游文明提示、做到出境旅游管理“三到位”、把好出境旅游管理“三关”等措施。创新提出分级建立游客旅游不文明档案，制定实施《游客旅游不文明记录管理办法》，形成游客旅游不文明信息通报机制。提出开展旅游不文明“随手拍”活动、文明旅游“提个醒儿”活动、“文明旅游背包行”公益宣传活动等创新举措。

3.强化底线思维，首提构筑旅游安全保障网

安全是旅游行业的生命线。随着我国公民出游规模日益扩大，旅游安全问题变得愈加突出。《报告》首次系统提出，强化安全意识，落实安全责任，健全旅游安全设施设备，强化安全保障措施，努力消除安全隐患，提高保险保障水平，完善应急救援体系，努力编织一张安全防护网，覆盖各个环节，惠及每位游客，让每位游客能游得放心，游得安心。安全网包括：建立旅游安全预警机制；强化重点领域和环节的监管；增强全社会旅游安全意识；加快旅游紧急救援体系建设；完善旅游保险保障体系。其中提出了许多创新性工作举措。

4.强化公共服务，首次提出全国旅游厕所革命

旅游公共服务是保障大众消费的重要基础，是社会事业的重要内容，也是旅游目的地竞争力的重要体现。我国旅游公共服务设施有很大改观，取得了很大成绩，但与游客要求和国际旅游标准还有很大差距。旅游厕所问题尤为突出。为此，《报告》提出要在全国范围内发动一场旅游厕所建设管理大行动，并提出了一揽子具体举措。提出重点抓好城市的旅游集散、休闲设施以及旅游服务岛建设，开展旅游休闲示范城市建设，完善旅游休闲目的地体系。完善乡村旅游厕所、停车场、标识标牌等公共服务设施。提出推进交通便捷服务体系建设，与交通运输部建立部际合作机制，每年重点解决几个影响旅游交通的重点难点问题，完善自驾游服务体系。

5.突出产业主体，提出创新旅游产业促进机制，首提设立中国旅游产业促进基金，开展“中国国际特色旅游目的地”品牌创建，并将扶持旅游企业发展作为重要任务

《报告》提出要把抓好旅游产业发展作为工作的重要内容，做深做实。要转变只抓行业、不抓产业的惯性思维，创新旅游产业促进机制。提出国家旅游局将促进旅游产业发展作为重要抓手，在职能机构配置上优化充实。提出国家旅游局将联合有关部门、金融机构和大型旅游企业，共同设立中国旅游产业促进基金。国家旅游局将会同国家开发银行、中国农业银行等金融机构联合推出中国旅游投融资优选项目。有条件的省区市也要设立旅游产业基金，发挥财政资金的杠杆作用，撬动社会资本投入旅游业。提出企业是旅游产业的基础，各级旅游部门务必增强服务意识，帮助企业做强做大。帮助旅游企业上市融资、发行企业债，推进落实旅游中小企业享受国家相关扶持政策，小微企业减免税政策。提出构建“中国国际旅游目的地”系列品牌，2015 年国家旅游局将选择 10 ~ 15 个特色品牌类型，每个品牌 1 ~ 2 个旅游目的地。

6.突出新产品新业态，强化促进旅游消费转型升级

提出要把传统产品升级和丰富新产品、新业态摆在突出位置，推动旅游产品结构由观光为主，向观光、休闲、度假复合发展转变，推动三大市场全面发展。大力开发新产品新业态、促进旅游消费转型升级，全力推进乡村旅游和旅游扶贫、旅游致富，积极开发休闲度假产品，培育大众化旅游消费新热点，深入挖掘旅游购物潜力，积极发展红色旅游等。

在新常态下旅游业出现新特点，呈现出旅游自身的新常态。旅游业是窗口产业，充分反映新常态下的经济社会发展的新特点。旅游业也呈现出自身的新常态：一是高级化，旅游业发展正在向形态更高级、类型层次更加丰富多样、地区和行业分工更复杂、结构更合理的阶段演化，正从高速增长转向中高速增长、从规模速度型粗放增长转向质量效率型集约增长。二是多样化，旅游消费个性化、多样化消费渐成主流，但从众型大规模消费阶段仍将继续，进入大众化、多样化快速发展的新阶段。三是国际化，我国入境旅游低成本比较优势发生了转化，旅游的高水平引进来、大规模走出去正在同步发生，由入境旅游为主发展为出入境并重的新阶段。四是现代化，旅游新业态新产品开发、互联互通旅游基础设施建设、新技术应用、新商业模式的投资机会大量涌现。五是融合化，旅游业呈现整合第一、第二、第三产业，整合全要素全产业链一体化发展的新趋势，在各种产业发展中起到黏合、拉动、催化的作用，与其他产业融合的过程中汲取了全新的运作模式，旅游业既是实体经济，但又通过资本运作，为虚拟经济发展创造环境和提供新平台。六是集团化和专业化，在旅游企业集团化、网络化发展的同时，特色旅游服务业、旅游小微企业作用更凸显，生产小型化、智能化、专业化将成产业组织新特征。七是差异化和品质化，旅游市场竞争逐步转向质量型、差异化为主的竞争。这要求更加注重满足人民群众需要，更加注重市场和消费心理分析，更加注重引导社会预期。八是生态化和低碳化，自然环境、社会环境、空气质量等以往旅游业发展过程中被忽略的因素都成为影响旅游发展至关重要的新元素，这要求更加注重建设生态旅游。九是要素化，旅游发展对人才、土地、政策、资本等发展要素的依赖日益突出，新型旅游要素日益成为旅游业的新驱动力。十是信息化，旅游业日益成为率先进行科技革命的现代化产业，要求旅游业更加注重科技进步和全面创新。

7.打破地区藩篱，推进区域旅游一体化，围绕国家发展新棋局，统筹规划发展大区域、次区域旅游经济带

提出要围绕国家区域发展战略，结合旅游业发展需要，打破行政区划约束，构建一批发展潜力大，综合带动作用强，具有鲜明地域特色的旅游区域。将配合国家三大战略，编制“一带一路”、京津冀、长江旅游经济带以及浙闽赣皖、粤港澳等旅游经济圈，黄河、珠江旅游经济带，东北旅游经济圈及武陵山、大别山、罗霄山、粤闽台港澳等重点旅游经济圈规划。各级旅游部门也要加强本地区旅游规划和跨行政区的重点旅游区域规划。提出创新区域旅游合作机制，建设一批跨行政区的重点旅游目的地。深化内地与港澳台的旅游合作，启动“万名港澳台青少年赴内地（大陆）游学工程”。

8.首次提出拓展旅游外交，构建旅游对外开放新格局

《报告》指出，旅游作为增进民间交往，促进民众感情交流的重要载体，在国家外交中正在扮演着越来越重要的角色，现在每年我国近 2.5 亿人次的入出境市场规模，已经成为我们发出中国声音、讲好中国故事、加强与世界联系的重要平台，已经成为新阶段我国对外交往合作的重要内容。旅游行业要在国家开放新格局中主动作为、主动发声，服务国家整体外交、服务旅游产业发展、服务游客消费需求，努力开创旅游对外开放新局面。重点围绕“一带一路”战略开展国际旅游合作，突出大国间旅游合作，深化与目的地国家的旅游合作。《报告》还提出大力开拓入境旅游市场。要塑造“人文中国”旅游新形象，实施旅游整体品牌战略，完善国家宣传推广体系。首次提出推进在驻外使馆设立旅游参赞，首次提出推动相关国家履行中文成为联合国世界旅游组织官方语言的批准程序，首次提出选派各级旅游部门的优秀干部到世界旅游组织挂职交流，首次提出与世界旅游组织共同推出首批 10 个中国国际旅游示范市等与世界旅游组织的合作。

9.深化旅游体制改革，首次成立国家旅游局旅游业改革工作领导小组，首次提出启动旅游景区门票价格管理改革、跨境旅游合作区，主动参与沪粤津闽自贸区改革开放等

旅游业发展的最大机遇蕴藏在转方式、调结构之中，最大动力隐含在全面深化改革之内。《报告》将改革思维、改革措施贯穿到各项工作之中，坚持综合改革与专项改革并举，体制突破和政策保障共推，发挥旅游改革对旅游发展的引领作用，为旅游业持续健康发展提供坚强的保障。主要包括：做实旅游综合改革试点、启动旅游景区门票价格管理改革、推动跨境旅游合作、主动参与沪粤津闽自贸区改革开放、改革旅游行业协会的领导体制、创新促进旅游管理的有效机制，等等。

改革对旅游部门来说，是要通过改革来扩展发展空间、优化发展环境、强化发展支撑。改革对旅游部门，不是放而是扩，不是收而是拓。对许多新兴领域，旅游部门应该率先进入有所作为。改革突破在抓好内部改革的基础上，重点开拓创新外部发展空间。《旅游法》出台后，很多人认为实施《旅游法》是多个部门的事，不是旅游部门一家的事。目前旅游活动的很多环节，是政府职能缺位，其他部门越位或者错位，旅游部门应该加强补位进位，要逆袭而上。

10.积极主动融入互联网时代，首次提出用信息技术武装中国旅游业，首次提出建设中国旅游门户网

世界已经全面进入信息化时代，互联网、移动互联网、大数据深刻地改变着世界的面貌，同样也深刻地改变着旅游业的运行方式。提出旅游业管理“插上信息化的翅膀”，与时俱进，主动融入信息化变革、积极运用信息化手段，全面革新管理方式，提高管理水平。首次提出建立中国旅游服务门户网。以国家智慧旅游公共服务平台（12301.cn）为载体，将其建成集旅游公共信息服务、文明旅游倡导、旅游企业监管、旅游市场秩序整治、旅游投诉、《全国旅游不文明记录》《旅游企业诚信记录》、旅游目的地警示、旅游国际合作与交流、港澳台旅游合作与交流等于一体的中国旅游服务门户和社会综合管理平台。提出与农业银行联合发行“中国旅游卡”，推动金融机构推出涵盖旅游各领域的特色支付产品。通过整合全国及境外旅游消费资源，为持卡人提供景区购票折扣、网上和电话预订优惠以及酒店、保险、购物等各类专属优惠和服务。鼓励各地先行先试，积极整合旅游卡，最终实现全国旅游“一卡通”。提出支持旅游企业信息化建设。进一步发挥旅游市场主体在信息化建设上的主体作用。

五、《报告》具有新风格

——自信引领发展、进取创造奇迹

新使命，需要新精神新作风，《报告》以“开辟经济发展新常态下中国旅游业发展的新天地”为主题，主动作为、有气魄、有担当，《报告》在行业精神文化上有以下五个新突破。

1.首次提出三个自信：产业自信、行业自信、事业自信

未来是我国旅游业的发展黄金期和转型攻坚期，旅游业改革发展的使命光荣、任务艰巨，旅游行业迫切需要不断强化产业自信、行业自信、事业自信，增强责任感、使命感和敢于担当的精神，不断提升整合资源、统筹发展和引领创新的能力，努力开辟新常态下中国旅游业发展的新天地。

过去常说旅游部门弱小，没有枪没有炮只有一只冲锋号，在推动旅游大产业发展时显得力不从心。但是在全面深化改革的大背景下，朝着小政府大社会、小部门大服务的方向改革，旅游部门代表的恰恰是这种改革方向，已经率先适应了这种变化。更何况，现在全国有6个省成立了旅游发展委员会，还有很多地级市、县级政府都成立了旅游发展委员会。我们应该强化部门和行业自信，不断增强统筹协调、综合管理的意识和能力。这些年来，我们旅游业在服务国家大局、服务民生大局方面取得了骄人的成就、取得了宝贵的经验；但另一方面，我们需要进一步强化敢于作为的主体意识，敢于担当主角，不断提升我们整合资源、统筹发展和引领创新的能力。

2.首次正式强化提出“中国旅游人”

《报告》号召全行业，面对党中央、国务院的期望，面对人民群众的期待，我们要肩负起时代的使命，紧密团结在以习近平同志为总书记的党中央周围，开辟经济发展新常态下中国旅游业发展的新天地，为实现“两个一百年”的宏伟目标和中华民族伟大复兴的中国梦奉献我们中国旅游人的心血、智慧、汗水！

3.《报告》体现三个意识：问题意识、主体意识、引领意识

在新的发展阶段，在新常态下，旅游业发展必须有新的突破。《报告》通篇充分体现正能量：大胆创新的工作思路，一抓到底的工作作风，攻坚克难的工作力度，整合资源的工作格局，重点突破的工作路径，主动作为的工作激情。

在充分发挥旅游融合优势的前提下，更加突出旅游业的主体地位。正确认识和处理好依法治旅和深化改革的关系，要依法创新工作方式、增强服务能力，同时通过深化改革来拓展旅游发展空间，提高需求管理和统筹协调的能力。

4.《报告》体现三个力：执行力、统筹力、定力

谋划旅游业发展，站位要高、视野要宽，但举措要实、方法要新。要想象力、执行力、统筹力、定力兼具。旅游发展形势日新月异、发展契机时不我待、问题更是迫切需要破解，但是《报告》思路举措却没有盲目和冒进，充分体现了国家旅游局在谋划旅游业发展过程中，坚持重点突破、循序渐进的科学态度和立足实际、谋求长远的沉稳步伐和统筹发展的定力。

5.《报告》创新改革推进工作落实的旅游体制

提出不断完善横向协调机制——国务院旅游工作部际联席会议，充分发挥各成员单位的积极性。提出优化纵向联动体系：国家旅游局——地方旅游委（局），国家旅游局建立征求地方旅游委（局）意见和建议的机制，每年评选优秀建议奖；国家旅游局与地方旅游委（局）联动，如编制跨行政区域的旅游规划，组建跨行政区域的旅游协调机制和旅游推广同盟等。国家旅游局将试行对地方旅游委（局）重点业务工作进行评估，重在弘扬先进。而且，国家旅游局还将 52 项工作细分为更具体的工作举措，分到不同部门落实，强化《报告》的实施性。

当然，也要认识到，这是一个非常宏伟复杂的系统工程，要实现《报告》提出的“515 战略”，会面临许多困难和挑战。旅游业发展面临的问题多、矛盾日益突出，旅游工作面临的形势正在发生深刻变化，机遇前所未有，挑战也前所未有。

一是统筹协调推进面临的困难和挑战。旅游业是综合性产业，涉及面宽，但旅游管理体制不顺，“小马拉大车”的矛盾还比较突出，在推动旅游大产业发展时力不从心。要完成“515 战略”，其中只有一部分是旅游局自己能干好的，大部分还要依靠其他部门的支持，需要充分调动各部门、全社会的力量，围绕旅游做工作。解决好抓产业缺少抓手的实际问题，创新旅游产业促进机制。需要深化旅游发展体制机制改革，提升综合统筹能力，建立有效有力的综合协调机制，还需要有创新的制度设计，也需要有创新的工作方式方法。

二是传统观念和认识面临的困难和挑战。要发挥旅游业在稳增长、调结构中的重要作用，归根结底要做大做强旅游业。要转变只抓行业、不抓产业的惯性思维。各级政府对旅游业的支持力度有待进一步加强，财政、金融促进旅游产业的抓手不多。现在，旅游业作为综合产业抓的思想已经被广泛认知，但由于旅游业发展周期较长、综合面宽、要求高、需要花费的精力和心血多，有的地方还不同程度地存在“说起来重要，干起来不太重要”的观念，树立科学旅游观依旧任重道远。从旅游行业来看，由于发展阶段和机构职能局限，长期以来许多地方的同志抓综合产业的观念不强，手段不多，直面问题、解决深层次矛盾的勇气不足。需要破除小媳妇心态，不断增强统筹协调、综合管理的意识和能力。

三是旅游业发展面临的问题多、难度大。旅游业发展进入转型升级的关键期，也进入矛盾凸显、深化改革和扩大开放的深水期。旅游市场秩序问题没有得到根本解决，有些地方旅游市场乱象丛生，甚至存在黑恶势力的影响，人民群众对此反映强烈。旅游不文明现象时有发生，严重损害了国家和民族的形象。旅游厕所还达不到游客的要求，与国际标准还有很大差距，脏、乱、差的现象仍然存在。旅游公共服务基础设施建设滞后。旅游涉外纠纷日益增加，旅游外交在机遇千载难逢的大势下，挑战也在增多。这一系列的深层次矛盾，解决难度大，但必须攻坚克难，没有退路、无法回避。旅游业发展的最大机遇蕴藏在转方式、调结构之中，最大动力隐含在全面深化改革之内，必须把改革思维、改革措施贯穿到各项工作中，坚持综合改革与专项改革并举，体制突破和政策保障共推，发挥旅游改革对旅游发展的引领作用。

四是新的使命凸显，缺乏工作手段和资源支撑。旅游部门的旅游社会管理信息化水平很低，远远不能适应互联网时代的要求。目前旅游产业发展具有鲜明的时代特征，传统企业存在着以下几个不适应：传统政府管理与旅游实践不适应、传统旅游产品与现在的需求变化不适应、传统作业方式与技术变化不适应、传统生产模式和大资本进入不适应。现在我国每年有近 2.5 亿人次的入出境市场规模，旅游业已经成为发出中国声音、讲好中国故事、加强与世界联系的重要平台，已经成为新阶段我国对外交往合作的重要内容。旅游外交功能不断凸显，旅游国际合作空间巨大，但机制和手段严重缺乏。我国拥有庞大的入出境旅游市场规模，但还没有相应的国际话语权。

五是旅游基础研究薄弱、旅游统计严重滞后、旅游人才支撑不足等问题也很突出。人才总量不足、结构性矛盾突出、整体素质不高、流动性大，人才瓶颈成为制约旅游业发展最深层次的矛盾。旅游数据统计、信用评价、监管制度等基础性工作十分薄弱，旅游理论研究严重滞后，对许多旅游业改革发展中存在的深层次矛盾和重大问题的认识还不清不透。现在大学的旅游专业在和旅游企业的结合方面存在问题，许多旅游研究的题目和旅游企业实际情况是两张皮，甚至毫无关系、闭门造车，迫切需要创新整合机制，让旅游业的智囊真正为行业和企业服务。

因此，要推进实施《报告》提出的“515 战略”，需要整合各方面资源，突出重点和关键环节，抓纲带目，以点带面，积小胜为大胜。对于面临的困难，其实《报告》已高度关注。

总之，《报告》令人耳目一新、精神振奋。《报告》既有深入的理论研究，又有翔实的数据支撑，更有具体可操作的措施。以全新的思维视角、扎实的专业知识、全面的统筹谋划，为我国旅游业发展注入了活力，提供了动力，为新常态下旅游业开辟新天地指明了方向。《报告》通篇“新”字近150个，足见对新常态的认识和争取新发展的信心。这些都是旅游业发展所迫切需要的，是我们所期待的。

作为旅游人，我为2015年全国旅游工作会议工作报告点赞！为这种大胆突破、主动作为、敢于担当的精神点赞！

责任编辑：郭海燕
责任印制：冯冬青
封面设计：中文天地

图书在版编目（CIP）数据

新常态下的大旅游 / 国家旅游局编. -- 北京 :中国旅游出版社, 2015.3（2018.1重印）
ISBN 978-7-5032-5300-3

Ⅰ. ①新… Ⅱ. ①国… Ⅲ. ①旅游业发展 – 研究报告 – 中国 Ⅳ. ①F592.3

中国版本图书馆CIP数据核字（2015）第035351号

书　　名：新常态下的大旅游

作　　者：国家旅游局编
出版发行：中国旅游出版社
（北京建国门内大街甲9号　邮编：100005）
http://www.cttp.net.cn　E-mail:cttp@cnta.gov.cn
营销中心电话：010-85166503
排　　版：北京中文天地文化艺术有限公司
印　　刷：河北省三河市灵山红旗印刷厂
版　　次：2015年3月第1版　2018年1月第3次印刷
开　　本：720毫米 × 970毫米　1/16
印　　张：10
字　　数：100千
定　　价：40.00元
I S B N　978-7-5032-5300-3
